清　陳鏡伊編

道德叢書　之二

婦女故事

賢母篇、賢婦篇
孝婦篇、節婦篇
孝女篇、惡婦篇

世界書局

婦女故事

王震書

發行所
廈門大同路一〇五 宏善書局
上海霞飛路嵩山路 道德書局

婦女故事 道德叢書之二

江蘇海門陳鏡伊編

目次

第一編 賢母類

第二編 賢婦類

第二編　孝婦類

傭織養姑　織蓆養姑

苦心感姑　乳姑不怠

天賜佳兒　鬼不敢近

疫鬼畏避　孝免孽夙

插花成陰　奉姑遠戍

第四編　節婦類

守貞俟夫 三則　茹苦葬夫 二則

堅彊拒嫁　智巧全節

引斧斷臂　引刀割鼻

不辱於倭　節義凜然

漬血化石　血漬成形

第五編　孝女類

第六編　惡婦類

迫夫反叛
諷夫分異
唆夫害忠
罵姑被震
逆婦巧報
悍妒虐妾
妒妾逼縊
穢語謾罵
怒罵怨貧
貪小竊釧
勸夫分居 二則
唆夫負義
背夫通姦
拒姑被震
悍妒殺妾
妒殺絕嗣
虐待家人 五則
怒罵好鬥
匿錢不還

婦女故事 道德叢書之二

第一編　賢母類

江蘇海門陳鏡伊編

擇鄰教子

列女傳載。戰國時。孟子三歲喪父。母有賢德。身任教養。初居近墓。孟子嬉戲爲墓間事。踊躍築埋。孟母曰：「此非所以居子也」乃去。舍市。又嬉戲爲商賈事。母曰：「又非所以居子也。」遂徙學宮之旁。乃設俎豆。揖讓進退。母曰：「此眞可以居子矣。」遂居之。又韓詩外傳載。東家殺豕。孟子問其母曰：「殺豕何爲？」母曰：「欲啖汝。」既而悔之。曰：「吾懷姙是子。席不正不坐。割不正不食。胎。

教之也。今適有知而欺之，是教之不信也』。乃買東家豕肉以食之，明不欺也。

畫荻教子

宋歐陽修四歲而孤。太夫人守節自誓。教修讀書。家貧乏紙筆，以荻畫地學字。修敏悟過人。一覽輒成誦。後舉進士試禮部得第。爲大文學家。

嚴厲訓子（一）

明王章授諸暨知縣。母訓甚嚴。酬應歸稍暮。母訶跪予杖曰：「朝廷以百里授酒人乎」。章伏地不敢動。後爲循吏。著名于世。

嚴厲訓子（二）

李景讓母鄭氏。治家嚴厲。身訓勒諸子。一日牆壞。得錢一甕。復掩之。即焚香祝天而告曰：『天念吾母子孤苦。特賜此錢。然妾心惟願諸子成名。錢非所願也。』後景讓出為浙西觀察使。母問行日。景讓卒然對有日。鄭曰：『如是吾方有事。未及行。』蓋怒其不嘗告也。且曰：『已貴。何庸母行。』景讓重請罪。乃赦。故雖老。猶加箠策。已。起欣欣如初。嘗怒牙將。杖殺之。軍且謀變。母召景讓。廷責曰：『爾鎮撫方面。而輕用刑。一夫不甯。豈特上負天子。亦使百歲母銜羞泉下。何面目見先大夫乎。』將鞭其背。部將再拜請。不許。皆泣謝。迺罷。一軍遂定。

痛言感子

東漢皇甫謐少時遊蕩不學。其母任氏歎曰：『昔孟母三遷教子。豈我居不擇鄰歟。何自棄之甚耶。』因相對泣下。謐感悟。立志勤學。家貧。嘗帶經而鋤。窮究典章。手不釋卷。數年。遂無所不通。名乃大顯。

氣節勵子

宋尹焞世爲洛人。應舉。見發策有絀元祐諸臣之議。乃歎曰：「尚可以干祿乎哉。」不對而出。焞少師事程頤。謂頤曰：「焞不復應進士舉矣。」頤曰：「子有母在。」歸告其母陳。陳曰：「吾知汝以善養。不知汝以祿養。」頤聞之曰：「賢哉母也。」焞於是終身不就舉。

教子仁恕

漢雋不疑。渤海人。治春秋。爲郡文學。進退必以禮。名聞州郡。爲京兆尹。吏民敬其威信。每行縣錄囚徒。其母輒問不疑有所平反活

幾何人遇多所平反母喜笑爲飲食語言異於他時或亡所出母怒爲之不食故不疑爲吏嚴而不殘

教子仁恕（二）

魏鍾會伐蜀辛憲英謂其夫之從子羊祜曰『會在事縱恣非持久處下之道吾懼其有他志也』會請其子羊琇爲參軍憲英憂之曰『他日吾爲國憂今難至吾家矣』謂琇曰『行矣戒之軍旅之間可以濟者其惟仁恕乎』後鍾會伏誅琇竟以全歸

戒子嚴酷

漢河南太守嚴延年爲政陰鷙酷烈曲法深文冬月論囚流血數里河南號爲『屠伯』初延年母從東海來洛陽適見報囚母大驚止都亭不肯入府延年免冠謝罪親爲母御乃入謂延年曰『

天道神明，人不可嗜殺，吾不意當老見壯子被刑戮也。行矣，去汝東歸，掃除墓地以待汝」。遂去，未幾，爲府丞上書，驗得怨望誹謗數事，坐法棄市。

教子忠義（一）

虞潭母孫氏，吳郡富春人，初適潭父，恭順貞和，甚有婦德。及夫亡，遺孤藐爾，孫氏雖少，誓不改節，躬自撫養，劬勞備至。性聰敏，識鑒過人。潭自幼童，便訓以忠義。永嘉末，潭爲南康太守，值杜弢構逆，率衆討之。孫氏勉以必死之義，傾其資產，以餽戰士，潭遂克捷。及蘇峻作亂，潭時守吳興，又假節征峻。孫氏戒之曰：「汝當捨生取義，勿以吾老爲累也」。仍盡發其家僮，令助戰，貿其環佩以爲軍資。其憂國之誠如此。

教子忠義（二）

王陵以兵屬漢。項羽取陵母置軍中。欲以招陵。陵母私送使者曰：「願爲老妾語陵。漢王長者。兒毋以母故。生二心。」遂伏劍死。陵卒从漢爲功臣。

教子忠義（三）

唐劉元佐爲宣武節度使。有威略。其母月織絹一匹。以示不忘本。謂元佐曰：「汝本寒微、朝庭富貴、汝至此。必以死報。」故元佐終始不失臣節。

教子謹愼

宋太祖卽位。拜杜太后于堂上。衆皆賀。太后愀然不樂。曰：「吾聞爲君難。天子置身兆庶之上。若得其道。則此位可尊。苟或失敗。求爲匹夫而不可得是吾所以憂也」太祖再拜曰：「謹受教」

教子淸廉（一）

唐崔元暐武則天時宰相母盧氏誡之曰：「吾聞人言兒子從宦者有人來言貧乏不能存此是好消息若聞貲貨充足此是惡消息吾重此言以爲確論比見親表中仕宦者多將錢物上其父母父母但知喜悅竟不問此物從何而來如非理所得與盜賊何別縱無大咎獨不內愧于心乎汝今坐食稱俸若不能忠淸何以戴天履地」元暐奉母氏教以淸謹見稱

教子淸廉（二）

李畬母有淵識畬爲監察御史得廩米量之三斛而贏問於吏曰：「御史米不槪也」又問車庸有幾曰：「御史不償也」母怒敕

歸餘米償其庸。因切責」。乃劾倉官。自言狀。諸御史聞之。皆有慙色。

教子儉謙

唐太宗長孫皇后性仁孝儉素。好讀書。常與上商略古事。因而獻替裨益宏多。訓諸子以儉謙爲先。后得疾。太子請大赦度人入道。后曰：「死生有命。非人力所支。若修福可延。吾不爲惡。使善無效。我尙何求。赦者國之大事。不可數。下奈何以一婦人壞法」。及病篤。與上訣曰：「勿以外戚處權要。勿以邱壟勞費天下。願陛下親君子。遠小人。納忠諫。屏讒慝。省作役。止遊畋。則妾死不恨矣」。嘗采自古婦人得失事爲女則十三卷。

教子清慎

隋鄭善果爲魯郡太守。母崔氏賢明。有節操。每善果出聽事。母坐障後察之。聞其剖斷合理。則大悅。若妄嗔怒。則蒙被而泣。善果伏牀前不起。母謂之曰：「吾非怒汝。乃愧汝家耳。吾爲汝家婦。獲奉汝先君。在官清恪。未嘗向私。以身殉國。吾望汝副此心。汝年小而孤。吾寡婦耳。有慈無威。使汝不知禮訓。何以負荷忠臣之業乎。汝自童子承襲茅土。位至方伯。豈汝身致之耶。安可不思此事而妄加嗔怒。心緣驕樂。墮于公政。墜汝家風。以取罪戾。吾死何面目見汝先人于地下乎。」母恆自紡績。善果曰：「兒封侯開國。秩俸幸足。母何自勤如是耶。」答曰：「此秩俸是國家報汝先人之殉命也。當散贍六親。爲先君之惠。妻子奈何獨擅其利。以爲富貴哉。」善果歷任州郡。唯內出饌。于衙中食之。公廨所供。皆不許受。悉用治廨宇。及分給寮佐。善果亦由此克己。號爲清吏。

教子擇交（一）

晉陶侃母湛氏。性溫良恭儉。有智算。以陶氏貧賤。每紡績以資給之。使交勝己者。侃少爲尋陽縣吏。嘗管理魚池。以一罐魚遺母。湛氏封魚及書責侃曰：『爾爲吏。以官物遺我。非惟不能益吾。乃以增吾憂矣。』鄱陽范逵寓宿於侃。時大雪。湛氏乃徹所臥新薦自剉。給其馬。又密截髮賣與鄰人。供肴饌。逵聞歎曰：『非此母不生此子。』侃後以功名顯。晉書列女傳

教子擇交（二）

包蒙泉爲御史。其母戒曰：『汝爲天子耳目官。須廉以持身。激濁揚清。方盡厥職。』泉遵母訓。廉介清謹。不畏強暴。聲震朝野。天下

賢之其弟子敬亦官御史。在家宴客。母問僕。所宴何人。僕曰：「某某」又問言何事。曰：「言某氏女可買爲妾否。」母大怒。急呼子敬至。責之曰：「某氏子。諂佞小人也。不親賢人君子。而親此輩。不談經史道德。而言買妾。吾不忍見爾敗壞家聲。」終日不與言。子敬懼。跪而請罪。母曰：「必絕某氏子。不許往來。方恕汝罪。」子敬諾。自此改過。品行益端。時人頌曰：「一賢母。成就兩名御史也。」

愛護前子（一）

魏慈母者。孟陽之女。芒卯後妻也。生三子。前妻有子五人。皆不愛母。母遇之甚厚。乃令已所生三子。不得與前子齊衣食。前妻五子猶不愛。未幾。前妻中子犯魏王令。當死。慈母憂戚營救。或曰：「子不愛母至甚。何爲勤勞憂懼如此。」慈母曰：「妾之親子。雖不愛妾。妾必救其禍。又除其罪。今于前子則不然。何以異于無母哉。且其父爲其孤也。使妾爲其繼母。繼母爲人母而不愛其子。可謂慈乎•」魏王聞而高其義。乃赦之。後五子親附慈母。雍雍若一。八子咸爲大夫卿士云。

愛護前子（二）

東漢時程文矩妻穆姜生二男。而前妻四子。文矩卒。四子以母非所生。憎毁日積。而穆撫字益隆。衣食資供兼倍所生。前妻長子興疾篤。穆親調藥膳。久乃瘳。于是呼三弟謂曰：「繼母慈仁。出自天授。我兄弟禽獸其心。過惡深矣。」遂將三弟詣南鄭獄。陳母之德。狀己之過。乞就刑。辟郡守表母。蠲除家徭。遣散四子。許以改革。後並爲良士。母八十餘卒。

愛護前子(三)

明秦閏夫繼室柴氏生一子。與前妻子俱幼。閏夫病亡。以前妻子囑之柴氏鞠育無異。辛勤紡績。遣二子就學。至正中有惡少殺人。牽連柴氏長子法當死。柴氏引次子詣官曰：「殺人者吾次子非長子也。」次子曰：「我自犯罪。豈可加于兄乎。」官疑次子非柴所生。訊之。他囚得其情。官義之。嘆曰：「妻割愛以從夫言。子趨死以成母志。此天理人情之至也。」竟兩釋之。遂上其事。旌其家。

治家嚴正(一)

韓蓮峯母張夫人治家嚴正。蓮峯爲刑部郎。妻閻氏亦兩封至宜人矣。夫人命與其姆同負汲。蓮峯歸見之。令兩隸人代。夫人怒。持杖出。將擊蓮峯。以杖指之。責曰：「汝有隸可代。無則不飲水耶。」

蓮峯笑曰：『新婦身強有力。豈不堪負。嫂羸弱。且有娠。是以代之。夫人怒乃解。蓮峯生數月而孤。官至憲副。夫人亦受旌。卽韓范洛之祖母也。

治家嚴正 (二)

程大中平居與幼賤處。惟恐拂其意。左右使令之人。無日不察其飢寒。侯夫人治家有法。不嚴而整。不喜鞭扑奴婢。視小臧獲如兒女。諸子或加詈責。必戒曰：『貴賤雖殊。人則一也。汝能爲此事否。』獨諸子有過。雖小必責。大則請命於大中。督其改而後止。嘗語人曰：『子之所以不肖者。皆母隱其過。父終不得而知。故無以正也。』母隱子過子孫有彌天之禍而祖父不知以至惡不可掩罪不可解此所以殺其身而有餘也

厚遇傭婢

先母秦太夫人。儉以自奉。而厚以待人。嚴于子女。而寬于傭婢。鄰里求貸者。必盡力周濟。乞丐踵門。必與之食。傭工不輕更易。嘗云：「有健全能力者。豈肯舍其家而傭于人。待遇傭工。切勿求備。」洪楊之亂。吾邑獨寧。流民麕集。邑中大戶。均收流女爲婢。而酷待者衆。獨吾家兩婢。太夫人愛如子女。絕未加以撻楚。故該婢等亦含恩不忘。嫁後時餽食物。月必省視。太夫人去世。兩婢備極悲哀。太夫人生平無疾痛。數十年不一藥。壽至八十七歲。仁慈深浹人心。迄今鄉里猶稱道勿衰。

格逆成孝

北魏房景伯母崔氏。性嚴明。有高節。歷覽書傳。多所聞知。親授子景伯景光九經義。學行脩明。並當世名士。景伯爲淸河太守。每有疑獄。常先請焉。貝邱人列子不孝。吏欲案之。景伯爲之悲傷。入白其母。母曰：「吾聞聞名不如見面。小人未見禮教。何足責哉。但呼其母來。吾與之同居。其子置汝左右。令其見汝事吾。或應自改。」景伯遂召其母。崔氏處之於榻。與之共食。景伯爲之溫凊。其子侍立堂下。未及旬日。悔過求還。崔氏曰：「此雖顏慚。未知心愧。且可置之。」經二十餘日。其子叩頭流血。其母涕泣乞還。然後聽之。終以孝聞。其識度勵物如此。

散財恤貧（一）

宋史。戴顧琛母孔氏。當孫恩亂。東土饑荒。人相食。孔氏散家糧。賑邑里。活者甚衆。生子皆以孔爲名焉。孔氏年一百餘歲。琛至中散大夫。

散財恤貧（二）

南齊史載倪翼之母丁氏性仁愛分衣食貽里中饑餓者鄰里求借未嘗違同里陳穰父母死孤單無親戚丁收養之及長爲營婚娶王禮妻徐氏客死山陰丁爲買棺自往歛葬左僑家露四喪丁爲辦塚州郡上言詔表門閭

好善樂施

福建莆田林氏先世有老母好善常作粉團施人求取卽與之無倦色一仙化爲道人每旦索食六七團每日與之終三年如一日乃知其誠也因謂之曰：『吾食汝三年粉團何以報汝府後有一地葬之子孫官爵至一升麻子之數』其子依所點葬之初世卽有九人登第累代簪纓甚盛福建有無林不開榜之謠

勒兵全城

南史蕭澄爲揚州刺史。率衆出討。梁將軍姜慶眞乘澄在外。襲壽陽據其外郭。澄母勒兵登陴。激勵文武。安慰新舊。勤以賞罰將士咸存奮志。親巡城守。不避矢石。城賴以全。

築城禦敵

朱序鎭襄陽。序母韓太夫人登城望。謂西北角當先受敵。領百餘婢並城中婦女。築城二十餘丈。賊攻西北角果潰。遂守新城。時號「夫人城」

物色英雄

陳平貧而無妻。富人莫肯與者。貧者平亦恥之。久之富人有張負女孫五嫁而夫輒死。人莫敢娶。平欲得之。邑中有喪。平爲侍喪先往後罷爲助。張負見之喪所。獨重視之。平亦以故後去。負隨平至其家。家乃負郭窮巷。以敝席爲門。然門外多有長者車轍。負歸謂其子仲曰：『吾欲以女孫予陳平。』張仲曰：『平貧不事事。一縣中盡笑其所爲。獨奈何予女乎。』負曰：『人固有好美如陳平而長貧賤者乎。』卒予女。（負與婦同音通借）

第二篇　賢婦類

嘉言格翁

周才美爲子娶婦。付以斗斛秤尺各兩等。論行多入少出之法。婦不悅。求去。曰：『翁所爲有逆天道。後代必多不肖破家。人謂是妾所生。恐被玷累。』才美悟曰：『改之。』婦問用此幾年。曰：『二十餘載。』婦曰：『必欲留妾請反用二十餘年以償昔日欺詐之數。』才美許諾。後生二子。皆登第。

嘉言格姑

樂羊子之妻。事姑甚謹。一日有他舍雞。誤入園中。姑盜殺而食之。妻對雞不餐而泣。姑問其故。對曰：『自傷居貧使食他肉』姑感其言。竟棄之。

嘉言勸夫

許允妻阮氏。賢明而醜。允始見愕然。交禮畢。無復入意。朋友勸之入閨。須臾便起。妻留之。允顧曰：『婦有四德。卿有其幾。』婦曰：新婦所乏者惟容士有百行君有其幾』許曰：『皆備。』婦曰：百行以德爲首好色不好德何謂皆備』允有慙色。知其非凡。遂雅相親重。

設計規夫（一）

王藻爲府刑宮。每日持金入。妻疑其枉法所得。因遣婢送猪蹄十臠。俟藻入。乃詐稱十三臠。藻以婢竊食。怒甚。笞之。婢不勝痛。乃誣服。妻曰「君日持金入。我疑君煅煉得之。姑以婢相試。今果然矣。不義之財。必有凶報。願今後勿爲此」。藻聞言。悚然大悟。汗流浹背。因題詩曰「枷栲追來只爲金。轉增寃孽罪何深。從今不願顧刀筆。放下歸來遊竹林」即罄所有。散施。棄家學道。後成仙。

設計規夫（二）

開封卜霖蒼。財蓋一鄉。喜交匪類生事。妻俞氏諫不從。時値重九。卜命城外酒肆。備殽饌。偕無賴數人會飲。有一外路書生見卜不爲禮。卜怒曰：『何物餓殍。如此大様。』生答言不遜。卜用拳揮去。生舉手一格。袖中脫出金扇一柄。繫白玉墜。晶瑩可愛。卜順手接得曰：『留此作免打之資。』生曰：『此祖傳至寶。留以聘姻。何得妄奪。』卜笑曰：『爾果能發跡。吾將女與汝。』生欲分辨。店主拉之出。曰：『此人無良。扇墜事小。急宜遠避。免傷性命。』生含忍而去。其妻俞氏。知卜怕鬼信神。用匕首一把。上粘小帖。託爲雷神語『若不速改。卽行天誅』。潛置卜枕旁。卜醒見之。魂魄沮喪。遂櫛沐對天懺悔。再不敢爲非。妻曰：『過惡還須爲善。我家頗有資財。何不廣行善事。以贖前愆。』卜從之。被澤者多。俱稱之曰『卜善人』。府縣皆旌表其門。縣令吳育龍。因年荒。卜代民完糧。製一鄉善士匾額。親送懸掛。忽報按君入境。尹出郭迎接。拜謁畢。按君曰：『有卜某者。乃大惡人。吾已行府差拏矣。』尹愕然。曰：『此善士也。歷受旌揚。不識憲臺何所見。加以惡人之號。』按君曰：『此人之惡。不但傳聞。抑且目擊。貴縣代爲掩護。得毋錢神有靈乎。』尹曰：『屬吏與憲臺所見不同。稱呼自別。殺人媚人。不敢爲也。』辭出府廳。進見。其說亦同。按君心疑。仍扮舊日書生。至前酒店私訪。店主一見曰：『卜善人尋官人多次。今適在店。後可進會也。』蓋卜預得尹信。借此躲避。卜一見生。握手歡然。生曰：『向日見忤。門下未知何故。』卜曰：『前得先生玉墜。有婚姻之許。小女至今待字。如先生有室。則將原墜奉還。如未聘。前言可踐也。』生笑曰：『翁原來如此。至誠大非昔比。可喜可賀。但小生一貧徹骨。有辱門下。奈何。』卜曰：『一言既出。駟馬難追。吾家計頗豐。先生何憂食用。但我現被按君訪拏。未知性命如何。得見先生。來完小女之事。亦了却胸中一掛碍矣。」生察其誠。遂耳語曰：「吾即按君也。」出印章示之。卜伏地戰慄。不敢仰視。生扶起曰：「昔因小忿相忤。今爲翁壻。何畏焉。」卜謙不敢當。生曰：「翁不食言。久羈令愛。佳期君子也。我豈肯獨爲小人。翁速歸。我即行府銷差矣。」次日即令縣尹爲媒。擇吉成禮。卜後以壽考終。

設計規夫（三）

有趙某兄弟二人。兄強悍。弟寬和。兄結交錢孫二人爲友。酒肉往來。甚是親熱。將弟逐出在外。妻屢諫不從。心生一計。暗屠大狗一隻。妝以衣服。置之後園。謊報其夫曰：「不知誰殺死一人。丟我園中。夫急往視。時夜昏黑。莫辨眞僞。以手探之。衣上有血。大驚無措。

妻曰：『盍請錢孫二人抬出掩埋。』夫果往請。二人聞是人命。恐被連累。皆不肯來。夫歸無計。妻曰：『事急矣。宜叫二叔幫抬。』趙往呼其弟。隨至妻先以篾蓆捲好。兄弟抬出郊外埋之。從此醒悟。迎歸其弟。不禮錢孫二人。二人懷恨。乃具詞告官。言趙謀殺人命。埋在某處等語。官拘趙審其妻。同往以實情稟明。官來啓驗。果是一狗。因重責錢孫。奬賞其婦。此案原有小傳一部。（忘其姓名。故以趙錢孫代之。）

正義勗夫

探花劉應秋之父。爲潯州司理時。撫軍發一囚來。密授意旨。教擬以重辟。（仁人執法。當於死中求生。今乃於生而求死。實屬目無天地鬼神。）公晝夜歎息。夫人問故。公曰：『此寃獄。上官命擬死。拂之則不利於官。順之則枉殺無辜。情理兩難。是以歎息。』（順理則心安。何難之有。）夫人厲聲曰：（義氣凜凜）『去官事小。人命事重。安有殺人以保爵位者乎」世之殺人媚人苟圖爵位者。明則王法殺之。幽則怨鬼殺之。且有殺其子孫者。夫人數言。可銘座右。公遂力白其冤。脫囚之罪。豈獨囚感。再造之仁。囚之祖宗。世世酬恩。囚之子孫。生生報德。上司呵責。甯呵責於上司。勿觸怒於天地。公卽解綬去。自古大賢甯去官。不枉一命。生子中探花。孫點狀元。向使一念之差。禍且不測。種福與奉上。所得孰多

萬里尋夫

鄒平張義婦。年十八。歸里人李伍。伍與從子零戍福甯。未幾死戍所。張獨家居。養舅姑甚至。父母舅姑病。凡四刲股肉救。不懈。及死。喪葬無遺禮。既而嘆曰：「妾夫死數千里外。妾不能歸骨以葬者。以舅姑。父母在。無所仰故也。今不幸。父母舅姑已死。而夫骨終暴棄遠土。使無妾卽已。妾在敢愛死乎」乃臥積冰上。誓曰：「天若許妾去取骨。雖寒甚。當得不死」踰月。竟不死。鄉人異之。乃相率

賻以錢。大書其事於衣以行。行四十日至福寧見零問夫葬地。則榛莽四塞不可識。張哀慟欲絕。夫忽降於童言動無異其生時。告張死時事甚悲。且指示骨所在處。張如言發得之。持其骨祝曰「爾信妾夫耶。入口當如冰雪。黏如膠」已而果然。官義之。上於大府。使零護喪還。給錢使葬。仍旌門復其役。

保全其夫

于琮爲韋保衡之譖。貶韶州刺史。琮妻廣德公主上之妹也。與琮偕之韶州。行則肩輿門相對。坐則執琮之帶。琮由是獲全。時諸公主多驕縱。惟廣德動遵法度。事于氏宗親。尊卑莫不如禮。內外稱之。（唐紀事本末）

勵夫激昂

漢王章家貧病臥牛衣中泣與妻訣妻曰：『京師尊重誰喻君者。何不激昂反涕泣何也。』後為京兆尹。

勗夫勤學（一）

沈澤之年二十五即廢學謀利妻石氏最賢力諫不聽乃苦告翁姑曰：『新婦妹娣皆嫁為士人妻今沈郎不肯讀書令新婦歸寧羞見親戚願自備束脯乞為擇師勉令就學不敢望其亨達但成一好秀才不辱門下足矣。』翁姑從之後五年澤之果登第。

勗夫勤學（二）

樂羊子遠尋師學一年來歸妻跪問故曰：『久行懷思無他異也。』妻乃引刀斷機曰：『君之尋師中道而歸何異斷斯機乎。』羊子感其言乃發憤卒業七年不返。

勸夫順理

文紹祖之子與柴姓議婚。既聘。柴女忽瘋。紹祖欲更之。妻大怒曰：「吾有兒。當使其順天理自然久長。背禮傷義。速其禍也。」仍娶之。次年子登第。女亦痊。

勸夫厚道（一）

永嘉何氏。玉木叔之妻也。初歸玉家甚貧。何氏佐以勤儉。家用遂饒。一日語夫曰：「子可出仕。奈弟妹貧寒何。橐中餘貲久蓄。奚益。請以分之。」夫喜曰：「是吾志也。」且日盡散簪珥不遺。木叔既仕。又曰：「弟妹尚困。有田如許。何不畀之。」夫喜曰：「此尤吾志也。」遂以田與弟妹。一郡稱為賢婦。

勸夫厚道（二）

蕭逵漢陽人。明嘉靖甲辰。楚大飢。出粟濟之。粟盡。復措千金易粟。作粥以食飢者。時尙未有子也。一夕夢見數百人羅拜曰：「來報凶歲活命恩」。一人携兩孺子曰：「請以爲嗣。所以報也」。生長子良有。次子良譽。先後中舉。逵欲取先借券付諸火。妻戴氏曰：「伯氏亦有貸于人。如此不相形乎。無索償足矣」。後良有廷對第一。良譽亦成進士。楚人有「漢陽雙鳳」之稱。

勸夫仁恕（一）

襄陽言太守如泗。乾隆初。令山西聞喜時。頗尙嚴厲。惡囚之多狡展也。特置木榔頭。擊其脛。夫人賢明有德。每規之曰：「國家自有常刑。非法煅煉。無論有干功令。亦豈父母斯民之道耶」。弗聽。越歲生孫。貌頗岐嶷。惟兩足耎弱。不能起立。若癱症然。夫人謂曰：「

曩諫君弗納。今生孫若是。殆天欲以示之罰也。苟執迷不悟。當有甚於此者。』乃悚然懼。深自艾悔。立取刑具焚之。凡審讞俱布以誠。悃不尚刑求。孫長至十餘歲。足骨遂堅。能步履如常人矣。言每以告人。爲居官之戒云。

勸夫仁恕（二）

明太祖馬皇后滁陽王郭子興養女。習知兵事。在軍中。緝衣履以給將士。常謂帝曰：「方今豪傑並爭。雖未知所歸。以妾觀之。惟以不殺人爲本。人心所歸。卽天命所在。若殺掠以失人心。雖其身亦難保也。』帝初爲郭氏所疑。賴后調停。得免於患。帝比之唐長孫皇后。后曰「妾聞夫婦相保易。君臣相保難。妾安敢比長孫皇后。但願陛下以堯舜爲法耳』。性恭儉。既貴。服澣濯衣。每製衣餘帛爲巾以賜諸王公主曰：「生長富貴。當令知蠶桑之不易。爲天地惜物也。」帝以威武治天下。后常輔之以慈仁。勸帝保全功臣。諸功臣多所寬宥者。胡惟庸謀逆。宋濂孫愼坐刑。逮濂至京。后曰：「民間請一先生。尙始終不忘恭敬。宋先生親教太子諸王。寧忍殺之。且先生家居。豈知朝廷事耶。」遂得茂州安置。帝欲侯馬氏。后不肯。有疾不服藥。年五十一崩。帝痛悼。終身不立后。

勸夫仁恕（三）

郇章字子鈞。福建浦城人也。仕于閩王審知。守建州。領兵拒南唐。遣邊鎬王建封求救。二人失期。當斬。章意未決。夫人練氏曰：「既憐其才。何不從寬。」密令遠遁。復使諸子遺之以金。二人遂奔江南。後南唐命查文徽攻建州。二人已貴。從行。城陷。議屠之。時子鈞卒。練氏猶存。二人入城。厚遺練氏金帛。且授一白旗。曰：「植此於門。可保無虞。」練氏奉金帛並旗反之。曰：「妾家雖免死。建民何罪。非盡赦建氏。妾不獨生。」二人請之。一城皆免。練氏後封越國夫人。子十五人。親出者八。孫六十人。皆貴。曾孫位卿相者相比。

戒夫太嚴

後周顯德三年。以周行逢為武平節度使。行逢性勇敢。果於殺戮。其妻鄧氏。性剛決。喜治生。常諫行逢用法太嚴。行逢怒曰：「此外事。婦人何知。」鄧氏不悅。因之村墅營宅以居。歲時衣青裙。遂不復歸。行逢屢遣迎之。不至。一日卒僮僕佃戶送租入城。行逢就見之。曰：「夫人何自苦如此。」鄧氏曰：「稅。官物也。公不先輸。何以率下。且獨不記為里正代人輸稅以免楚撻耶。今貴矣。安得遂忘

隴畝間乎」行逢強邀之歸不可曰：「公用法太嚴而失人心，且禍起村墅易爲逃匿耳」行逢爲之少損

勸夫惠民

後晉天福十二年晉主還至晉陽議索民財以賞將士夫人李氏諫曰：「陛下因何東創大業未有以惠澤其民而先奪其生生之資殆非新天子所以救民之意也請索出宮中所有以勞軍雖復不厚人無怨言」晉主從之中外大悅

勸夫弭兵

唐貞觀末數調兵討四夷又營翠微玉華等宮所費巨億賢妃徐惠疏諫曰：「今東征高麗西討龜茲營繕相繼服玩華靡夫以有盡之農功塡無窮之巨浪圖未獲之他衆喪已成之我軍地廣非

常安之術。人勞乃易亂之源也。玩珍伎巧。乃喪國之斧斤。珠玉錦繡。寶迷心之酖毒。作法於儉。猶恐其奢。作法於奢。何以制後。志驕於業。泰體逸於時。安不可以不過」上善其言。厚賜之。

勸夫謙抑

晏子為齊相。其御者之妻見其夫洋洋自得。既而夫歸。責之曰：「晏子長不滿六尺。身相齊國。名顯諸侯。其志嘗有以自下。子長八尺。乃為人御僕。自得若此。宜乎卑且賤也。妾恥之」其夫後自抑損。晏子怪而問之。御以實告。晏子薦以為大夫。

勸夫抑讓

唐德宗時。潘炎為翰林學士。恩渥極異。京兆伺候。累日不得見。乃遺閽者三百縑。夫人劉氏知之。遽謂潘曰：「豈為人臣。京兆願一謁見遺奴三百縑其危可知也』因勸避位夫人憂惕謂曰：『以爾人才而在丞相之位吾懼禍之必至也』炎解諭再三乃曰：『不然試會爾同列吾觀之』因遍招深熟者夫人垂簾觀之既罷會喜曰：『皆爾儔也不足憂矣』問末座縿綠少年何人也曰：『補闕杜黃裳』夫人曰：『此人將來必是有名卿相』

勸夫忠義（一）

唐建中末李希烈陷汴州將襲陳項城令李侃欲逃夫人楊氏曰：『寇至當守力屈則死焉逃之若重賞募士可守也』乃召吏民曰：『令誠若主然歲滿則去非如若輩生長此土也墳墓家室皆在宜相與竭力死守』衆皆泣許乃諭曰：『以瓦石擊賊者賞千錢以刀矢殺賊者賞萬錢』遂得數百人率以乘城夫人自炊以享

士使報賊曰：『項城父老。義不肯下。我得城。不足布威。徒失和好。無益也』會侃中流矢退還。夫人怒曰：『君不在。誰爲守。死於外。不。猶愈於牀乎』侃感動。遽發城。賊乃引去。城賴以完。

勸夫忠義（二）

唐宗室臨淄王隆基謀匡復社稷。微服與劉幽求等入苑中。會于苑總監鍾紹京廨舍。紹京中悔。欲拒之。其妻許氏曰：『忘身徇國。神必助之。且同謀素定。今雖不行。庸得免乎』紹京乃趨出謁拜隆基。執其手與坐。二鼓。紹京帥丁匠二百餘人。執斧鋸以從。三鼓諸衛兵宿衛梓宮者。聞譟聲。皆被甲應之。斬韋后等。收捕諸韋親黨。睿宗即位。以紹京爲中書令。唐紀事本末

勸夫遠奸

唐上林令侯敏諂事來俊臣其妻董氏諫曰：『俊臣國賊也指日將敗君宜遠之』敏從之俊臣怒出爲武龍令敏欲不往妻曰：『速去勿留』俊臣敗其黨皆流嶺南敏獨得免

相夫安貧（一）

晉庾袞前妻荀氏繼妻樂氏皆宦族富室及適袞俱棄華麗散資財與袞共安貧苦相敬如賓撫諸孤以慈奉寡嫂以仁使長者忘其寡幼者忘其孤孤甥郭秀比之子女衣食每先之

相夫安貧（二）

漢鮑宣妻桓氏字少君宣嘗就少君父學父奇其清苦故以女妻之裝送資賄甚盛宣不悅謂妻曰：『少君生富驕習美飾而吾實貧賤不敢當禮』妻曰：『大人以先生修德守約故使賤妾侍執

巾櫛既奉承君子惟命是從』宣笑曰：『能如是是吾志也』妻乃悉歸服飾侍御更着短衣裳與宣共挽鹿車歸鄉里拜姑禮畢提甕出汲修行婦道鄉黨稱之

相夫安貧（三）

梁鴻妻孟氏始以裝飾入門七日而鴻不答妻更素衣操作而前鴻喜曰：『此眞鴻妻也』遂同適吳依皐伯通廡下爲人賃舂每歸妻爲具食不敢仰視舉案齊眉伯通曰：『彼傭工人能使妻敬如此非凡人也』乃舍于家

相夫安貧（四）

明正德間江西舒翁年逾五十遠館湖廣歲暮歸家途遇一婦哭甚哀問之曰：『夫負官鏹將賣妾以償不忍離拆且妾去幼兒失

哺必死。故悲耳。」翁詢所負。曰：「十三金。」翁曰：「我同舟各捐一金。可完爾夫婦事。」同舟者皆不應。公捐束脩與之。未至家二日。糧盡。衆皆笑之。歸與婦曰：「我舟中飢兩日矣。速爲炊？」婦曰：「安所得米。」公曰：「可乞諸鄰乎。」婦曰：「借貸已多。專候夫歸償之。歸而復借。可柰何。」翁告以故。婦曰：「既如此。有山蔬可以充飢。」遂登山采苦菜作飯。煑。同一飽。既就寢。方愁明晨又匱。忽聞窗外曰：「今宵食苦菜。明年產狀元。」婦蹴翁曰：「神明告我也。」夫妻同起。向天拜謝。明年果生一子。名宏。十九歲領鄉薦。二十登成化丁未狀元。官至宰輔。

相夫治國

元世祖皇后宏吉剌氏。性明敏。達於事機。國家初政。左右臣正與有力焉。四怯薛奏割京城外近地牧馬。帝許之。后將諫。陽責劉秉忠曰：「汝何不諫。若初定都時。以地牧馬則可。今軍民分業已定。奪之可乎。」事遂止。率宮人親執女工。拘諸舊弓絃練之。緝細以爲衣。其韌密比綾綺。宣徽院羊臑皮置不用。后取之合縫爲地毯。其勤儉有節而無棄物。類如此。宋平。幼主入朝。衆皆歡甚。惟后不樂。帝曰：「江南平。自此不用兵。人皆喜之。爾獨不樂何耶。」后奏曰：「妾聞自古無千歲之國。毋使吾子孫及此則幸矣。」帝以宋府庫物置殿廷。召后視之。后一視卽返。帝問后欲何取。后曰：「宋人貯蓄以貽子孫。子孫不能守而歸之於我。我又何忍取之耶。」

宋太后全氏至京。不習風土。后屢奏乞令回江南。帝不允。后退益厚待之。

妯娌和睦（一）

晉王渾妻鍾氏。黃門郎徽之女。太傅鍾繇曾孫也。能屬文。博覽記。美容止。動靜中禮儀法度。渾弟湛妻郝氏有操行。鍾親重之。鍾不以貴相陵。郝不以賤相諂。時人稱爲鍾夫人之禮。郝夫人之法。

妯娌和睦（二）

蘇少娣崔氏女也。蘇家兄弟五人。娶婦者四矣。各聽女奴言。日有爭論。甚者鬩牆操刃。少娣治嫁。姻族皆以爲憂。少娣曰：「木石禽獸。吾無如彼何矣。世豈有不可與之人哉」。入門事四嫂。執禮甚恭。嫂有缺乏。少娣卽遺之。姑有役其嫂者。嫂相視不應。命少娣曰：「吾後進。當勞吾爲之」。母家有果肉之饋。召諸子姪。分與之。嫂不食。未嘗先食。嫂各以怨言告少娣者。少娣笑而不答。少娣女奴以妯娌之言來告者。少娣頷之。尋以告嫂。引罪自責。嘗衣錦衣抱其嫂之小兒。適便溺。嫂急接之。少娣曰：「無遽。恐驚兒也。」了無措意。歲餘。四嫂自相謂曰：「五嬸賢。吾等非人矣。奈何若大年。爲彼所笑。」乃相與和睦。終身無怨語。

妯娌和睦（三）

宋張孟仁妻鄭妙安。孟義妻徐妙圓。徐母家富。鄭貧。徐不驕。鄭不諂。共居一室。紡績寸絲不入私房。家有遺送。必納舅姑處。欲用則請之。不問孰爲己物。鄭歸甯。徐母其子。徐歸。鄭亦如之。不問孰爲己子。子亦不知孰爲己母。家猫爲人竊去。犬哺其兒。人皆謂和氣所感。太宗時旨表其門曰：「二難」。以爲妯娌師法。凡爲家長者。不可不時以此宣揚化導之。

棄子攜姪

昔齊攻魯至郊見一婦人攜一子抱一子衆逐之乃棄抱者與攜者奔逐得之衆問攜者誰？曰：「兄之子」棄者誰？曰：「己子也軍至妾不能兩全故棄所生而挈兄子」齊軍曰：「子之於母甚痛於心何忍棄乎？」曰：「我夫尚存可望生育我兄已死止此一綫育之以延宗祀」齊軍曰：「魯之婦人猶持節義其可伐乎」遂返己子亦全魯君聞之賜束帛號曰「義姑」

愛護族子

昌化章姓兄弟二人皆未有子其兄先抱族人一子後妻忽懷孕得生一子弟言兄既有子盍將所抱者與我兄告其妻妻曰「不然未有子而抱之既有子而棄之于義不終且新生那可保也」

弟請不已。乃以新生者與之。後皆成立。長曰：暢字景韓。次曰：相字景虞。各生一孫。相繼及第。遂成大族。

茹苦全族

明戴德彝嫂項氏。奉化人也。靖難兵至京師。德彝被執。不屈死。其嫂居家聞變。度禍且赤族。令盡室逃。并藏德彝二子於山間。毀戴族譜。獨身留家。及收者至。一無所得。械項。焚炙遍體。焦爛。竟無一言。戴族遂全。

妙計兩全

錢益者。佃戶也。其主因謀田不遂。令益以稗子撒彼田中。益謂妻曰：「撒則害人。不撒則逆主命。奈何？」妻教以蒸熟稗子。其主覘之。見已撒也。後益生子。名美中。登進士第。夫妻得榮養受封。

待下寬仁（一）

沈心松夫人袁氏，即了凡先生姑也。待下寬仁。未嘗疾言遽色。子病。夫人攜美酒一卮飲之。置几上。僕文成自外入。覆之於庭。詰其故。曰：「奴謂是茶耳。」夫人曰：「汝出不知。原無過。但作事當仔細。千粒難成一滴也。」僕愧悔。手掬而出。又有小婢持盤。盡覆廚下。其母自責之。夫人望見。急止之曰：「孩子偶失手。何責焉。但棄其碎者勿留。以傷人足可也。」心松爲司吏。子科。孫道原。皆登進士。

待下寬仁（二）

楊誠齋夫人羅氏。每冬月黎明即起。詣廚中親煑粥一釜。遍給奴婢。方令服役。年七十餘不改。子東山請曰：「天寒何自苦如此」

夫人曰：「奴婢亦人子也。晨寒須使其腹中有火氣。乃堪役使耳。」產四子三女悉自乳曰「飢人子以哺吾子。是何心哉」三子皆登顯第。

儉己濟人（一）

袁君載夫人。爲子備作冬衣。將買絮。公曰：「絲綿輕暖。家中自有。何必買絮。」夫人曰：「綿貴。絮賤。欲以貴易賤。多製絮衣贈族中。寒無衣者。」公曰：「此子壽矣。」

儉己濟人（二）

鄭袤妻曹氏魯國薛人也。袤先娶孫氏早亡。聘之爲繼室。事舅姑甚孝。躬紡績之勤。以充奉養。至於叔姑羣娣之間。盡其禮節。咸得歡心。及袤爲司空。其子默等又顯朝列。曹氏深懼盛滿。每默等升進。輒憂形於聲色。然食無重味。服浣濯之衣。衾等所獲祿秩。曹氏必班散親姻。務令周給。家無餘貲。初孫氏瘞於黎陽。及衾薨。議者以久喪難舉。欲不合葬。曹氏曰：「孫氏元妃。理當從葬。不可使孤魂無所依。」於是備吉凶導從之儀。以迎之。具衣衾几筵。親執鴈行之禮。聞者莫不歎息。（晉書列女傳）

代納貧稅

懷仁縣楊秀才妻劉氏。蚤寡。家甚富。聞官司征貧戶稅過嚴。乃詣縣。願以家財十萬緡。納官免貧戶稅。遂空其藏七間。三晝夜錢復滿。中有木牌曰：「麻青」。觀者駭異。或曰：「青州麻氏大富。或其家物也。」跡之。果然。謂積三世錢。一夕失去。劉即專人詣麻。請復歸之。麻曰：「吾家福退。錢歸有德。今復往取。違天逆理。」劉曰：「

我既輸官豈宜更有』乃盡施貧人而家日益富有孫登第

縫衣濟窮

雷鳴雲家贍足妻子溫飽除日謂其妻曰：「吾鄉中巨萬之家後嗣不振由財聚不散為天所罰耳曷行善以冀綿長耶」（多積陰隲　少積錢財）（兒孫若好　錢去還來）妻曰「吾力能縫翦買舊衣之壞者截長補短湊成衩褲冷時以濟人窮所費無多（貸不在多應急如寶　惠不在大惟誠動天）或猶可勉為也」雲善之又恐獨力有限因結一會行之五年連生二子後俱鄉薦

煑粥飲囚

鄞人楊自懲初為縣吏存心仁厚守法公平時縣宰嚴酷偶撻一囚血流滿前而怒猶未息楊跪而寬解之宰曰：「怎奈此人越法悖理不由人不怒」自懲叩首曰：「上失其道民散久矣如得其

情哀矜勿喜。喜且不可。而況怒乎。』宰為之霽顏。家甚貧。饋遺一無所取。遇囚人乏糧。嘗多方以濟之。一日有新囚數人待哺。家又缺米。給囚則家人無食。自顧則囚人堪憫。與其婦商之。婦曰：「囚從何來。」曰：『自杭而來。沿路忍飢。菜色可掬。』因撤己之米煮粥以食囚。後生二子。長曰守陳。次曰守阯。為南北吏部侍郎。長孫為刑部侍郎。次孫為四川廉憲。俱為名臣。

舍財築路

徽州地瘠糧少。雖與江西接壤。然嶺高路險。不能相濟。販米者多反從浙江水道。以故米價常貴。有寡婦家巨富。無子。自念蓄資無所用。乃僱工鑿嶺。開為大路。由是江西米兩日即達徽州。郡人多賴之。因名其嶺為「寡婦嶺」。

禮義孝仁

元世祖出獵。道渴。至一帳房。見一女子緝駝茸。世祖從覓馬潼。女子曰：「馬潼有之。但我父母諸兄皆不在。我女子難以與汝。」世祖欲去。女子又曰：「我獨居此。汝自來自去。於理不宜。我父母即歸。姑待之。」須臾果歸。出馬潼飲世祖。世祖既去。歎息曰：「得此等女子爲人家婦。豈不美哉。」後納爲太子妃。性孝謹。善事中宮。世祖每稱爲賢德。事昭睿皇后。不離左右。執婦道甚謹。及尊爲太后。有獻浙西田七百頃。籍於位下。太后曰：「我寡居婦人。衣食自有餘。況江南率土。皆國家所有。我曷敢私之。」后之弟欲因后求官。后拒之曰：「若欲求官耶。汝自爲之。毋以累我也。」

仁義賢慈

宋陳堂前王氏。節操行義。爲鄉人所敬。但呼曰：堂前尊之也。年十八歸同郡陳安節。歲餘夫卒。僅有一子。舅姑無生事。堂前斂泣告曰：「人之有子。在奉親克家耳。今已無可奈何。婦願幹蠱。如子在日。」舅姑曰：「若然吾子不亡矣。」既葬其夫。事親。治家有法。舅姑安之。子日新。年稍長。延名儒訓導。既冠入太學。年三十卒。二孫咸篤學有聞。初堂前歸陳。夫之妹尚幼。堂前教育之。及笄。以厚禮嫁遣。舅姑亡。妹求分財產。堂前盡遺室中所有。無靳色。不五年。妹所得財。爲夫所罄。乃歸悔。堂前爲置田買屋。撫育諸甥。無異已子。親屬有貧不能自存者。收養。婚嫁。至三十四人。自後宗族。無慮百數。里有故家甘氏。貧而質其季女於酒家。堂前出金贖之。俾有所歸。子孫遵其遺訓。五世同居。並以孝友儒業著聞。乾道九年。詔旌表其門閭。

孝義節慈

唐謝泌妻侯氏。始笄。適謝家。事姑甚孝謹。盜起。焚里舍。殺人。遠近逃避。姑疾篤。不能去。侯號泣姑側。盜逼之。侯曰：「寧死不從。」盜刃之。仆溝中。賊退。漸蘇。見一篋在側。發之。皆金珠。族婦以爲己物。侯悉歸之。婦分其一以謝。侯辭曰：「非我有。不願也。」後夫與姑俱亡。子幼。父母欲更嫁之。侯曰：「兒以賤婦人得歸隱居賢者之門。已幸矣。忍去而使謝氏無後乎。寧貧以養其子。雖餓死亦命也。」

貴而不驕（一）

唐東光公主楚媛。幼以孝謹稱。適司議郎裴仲將。相敬如賓。姑有疾。親嘗藥膳。遇娣姒皆得歡心。時宗室諸女。皆以驕奢相尙。謂楚媛曰：「所貴於富貴者。得適志也。今獨守勤苦。將以何求。」楚媛曰：「幼而好禮。今而行之。非適志歟。覺自古女子。皆以恭儉爲美。縱侈爲惡。辱親是懼。何所求乎。富貴儻來之物。何足驕人。」衆皆慚服。

貴而不驕（二）

唐岐陽公主。憲宗嫡女也。下嫁杜悰。素性柔順。拜起一如家人禮。嘗曰：「上所賜奴婢。不肯窮約事我。」皆奏納之。自買微賤可制者。自是門內寂然。後悰刺澧州。遣人迎公主。郡縣爲供具。從者不過二十人。幷所至不得食肉。飲食悉返驛吏。悰寢疾。奉藥必親治喪。哀慟異常。後子孫隆貴。享高年。

識見宏遠（一）

後漢高祖時。李肅爲左驍衛上將軍。魏州人趙思綰求爲僕。肅不納。曰：『是人目亂而語誕。他日必爲叛臣。』肅妻張氏曰：『君今拒之。後且爲患。』乃厚以金帛遺之。及思綰據長安。肅在城中。數就見之。拜伏如故禮。肅曰：『是子亟來。且汙我。欲自殺。』妻曰：『曷若勸之歸國。』會思綰問自全之計。因說其歸朝。思綰乃請降於漢。

識見宏遠（二）

北魏史載。姚婦楊氏。閹人符承祖姨也。家極貧。及承祖爲文明太后所寵貴。親戚皆求利潤。惟楊獨不欲。謂姊曰：『姊雖有一時之榮。不若妹有無憂之樂。』姊遺其衣服。不受。强與之。則曰：『家貧美服使人不安。』遣車迎之。不起。強舁車上。則大哭。言『爾欲殺我。』及承祖敗。執其二姨至殿庭。一致法。姚氏衣裳敝陋。免罪。

將兵救夫

劉遐妻邵氏。邵續之女。驍勇有父風。遐為石季倫所圍。妻單將數騎救遐。出于萬人之中。

帥兵拒敵

魏熙平元年。金龍為梓潼太守。梁兵至。金龍疾病。不堪部分。劉氏帥勵城民。乘城拒戰。百有餘日。副將高景謀叛。劉斬之。與將士分衣減食。勞逸必同。莫不畏而懷之。井在城外。為梁兵所據。城中絕水。會天大雨。劉命出公私布絹衣服。懸之絞取水。儲之。於是人心益固。卒退梁兵。

築砦禦賊

宋曾氏婦晏氏。夫死。守幼子不嫁。紹定間。寇破寧化縣。令佐俱逃。將樂縣令黃垺令紳士王萬全王倫結約諸砦以拒賊。晏首助兵給糧。多所殺獲。賊忿其敗。結集愈衆。諸砦不能禦。晏乃依黃牛山傍自爲一砦。一日賊遣數十人來索婦女金帛。晏召其田丁諭曰：「汝曹衣食我家。賊求婦女。意實在我。汝念主母。各當用命。不勝。即殺我。」因解首飾。悉與田丁。田丁感激。思奮。晏自槌鼓。使諸婢鳴金以作其勇。賊復退敗。鄉鄰知其可依。挈家依黃牛山避難者甚衆。有不能自給者。晏悉以家財助之。於是聚衆日廣。復與萬全倫共措置。析黃牛山爲五砦。選少壯爲義丁。有急則互相應援。以爲犄角。賊屢攻弗克。所活老幼數萬人。知南劍州陳韡遣人遺以金帛。晏悉散給其下。又遺楮幣以勞五砦之義丁。且借補其子。名其砦曰『萬安』。事聞。詔封晏氏爲恭人。

抗賊全家

明張銓出按遼東。天啓元年。殉難。銓父尚書五典度海內將亂。築所居竇莊爲堡。堅甚。崇正四年。流賊至。獨銓妻霍氏在。衆請避之。霍語其子道澄曰：『避賊而出。家不保。出而遇賊。身更不保。等死耳。』乃率僮僕堅守。賊環攻五晝夜。不克而去。名其堡曰『夫人城』。鄉人避者多賴以免。

賢媼規主

寇萊公掌樞密。漸務奢華。紬綾絹緞。多所費用。家有一老媼。每見公剪裁服飾。輒踧踖而不言。公問故。媼曰：『昔太夫人臨終之日。

求一縑作衾且不可得安知相公有今日耶』公由是感泣折節自儉爲宋室名臣。

第三編　孝婦類

質珥贖翁

開封老翁長子娶婦別居幼子聘某氏適周王選宮人女家懼選促翁完娶翁苦貧乃典身富家得錢充聘新婦入門拜姑而不見翁密問其夫夫諱之因叩姑姑漏言焉婦大慟曰「爲婦而忍令翁爲傭耶」遂取簪珥令人持白父母求質錢以贖翁父母賢之予錢而還其質新婦置錢床頭期明日往贖適長婦來新婦具以告長婦不孝而貪乃乘間竊錢去明旦新婦檢錢無有也夫疑其

中悔。婦亦不能自明。又傷翁無可贖。乃投繯而死。殮後三日。姑令長婦攜簞食往奠焉。俄雷雨作。復聞喚門聲。姑以爲長婦而聲不類。隔戶問爲誰。曰「我新婦也。」姑駭爲鬼物。立門隙窺之。良是。乃開戶問曰：「爾人耶鬼耶。」曰：「新婦人也。」姑曰：「爾死已三日矣。何由再生。」婦曰：「我初如睡夢中。神魂飄搖。不知底止。頃聞大震。不覺身乃在此。」姑呼婦入室。偕鄰婦往停柩處視之。棺蓋已揭。長婦踣死於地。原錢乃在手。

質飾救翁

江西贛縣民某。充當里長。因娶媳挪用官銀十二兩。追繳繫獄。新婦知其事。謂夫曰：「翁爲我兩人受苦。于心何安。」夫啼哭無計。婦曰：「聞古有賣身救父者。我願將衣飾盡典以救之。」止得銀八兩。復遣人告其父母曰：「兒未縫夏衣。今願得銀代之。因湊足其數。催夫救翁。夫不曉官事。有叔居隔數里。乃往求辦事。行至中途。遇族中一無賴叔。問其何往。姪以實告。伊陡起不良。佯謂曰：「汝銀藏何處。恐防賊盜。」姪曰：「在我妻枕匣之中。不妨。」遂別去。無賴叔乃冒作親叔。先至其家。詭言從縣裏來。官拘其父子。命我歸取銀。言在爾枕匣之中。婦信而與之。及夫偕親叔至。始知其詐。追至其家。已藏匿不見矣。婦悔恨自縊死。停柩於居側關帝廟。越二日。其夫方寢。忽叩門。夫疑是鬼。妻曰：「我蒙神靈救活矣。」夫呼鄰人至。開門視之。果其妻也。復秉燭往廟看驗。見空棺倒側。傍塑周倉像。刀上挂一人頭。鮮血淋漓。乃無賴叔也。又見香案上放一小匣。原金在焉。次日聞於官。驗之。因釋其翁。而旌其婦。

鬻奩助翁

武進孫復儒妻金氏性至孝。其翁好行善事。金自鬻奩田以供翁費。年二十四。夫亡守節。翁病劇。親調湯藥。六十晝夜不眠。病終不愈。乃虔叩神前。割肱肉一臠。適翁思食米糰。遂以肉煑湯和粉奉之。翁啖五枚。即安睡。既寤。呼孫謂曰：「吾不死矣。頃見白衣女子來言汝媳誠孝格天。增汝一紀。」未幾病果痊。壽至七十七。計其數。恰一紀也。

割乳療姑

明史李孝婦桂廷鳳妻也。姑患痰疾將不起。婦聞有言乳肉可療者。乃煑藥爇香禱灶神。自割一乳。昏仆于地。氣絕。廷鳳呼藥不應。出視見血流瀰地。大驚呼救。傾駭城市。邑長佐皆詣廬。命亟治。俄有僧踵門曰：「以蘄艾傅之卽愈。」如其言果甦。比求僧已不復見矣。乃取乳和藥奉姑。姑竟獲全。

割肉傷身。此種愚孝本不足取。但孝子之精誠足以驚天地貫日月。其精神作用往往出于常理之外。當以特例觀察之。不應以通例論斷之也。

割肝療姑（一）

異談可信錄載。清劉氏事姑孝。姑病噎。數次割股而漸發漸愈。氏禱大士。刺脅出肝斷之。遂昏仆。恍見大士來撫之曰：「兒苦矣」！以藥塗傷處。得甦。烹肝奉姑。病竟不復發。

割肝療姑（二）

明崇禎五年三月二十二日。淮安山陽縣毛繼宗妻馮氏天性至。

孝姑年高病篤毛又運糧赴京婦乃沐浴更衣夜晚籲天代死取刀刺脅肝尖躍出忽聞兒呼恐驚姑醒遂以帕揜刀口入撫其兒復慮微肝不足愈姑虔禱再刲時月尚未出天忽明淨星皆燦爛照婦之身光如白日婦復刲肝一段當即和羹進姑姑甫嘗便覺甘美問是何物婦詭言鄰家獲一鹿此鹿肝也姑食之病隨愈彼時至誠所感刲口不痛但血跡難揜小姑覺之合家驚傳姑方知其救已也痛哭感恤之時有新安諸生江天乙著「奇孝驚天集」以傳其事

冒刃衞姑

鄭義宗妻盧者范陽士族也涉書史事舅姑恭順夜有盜持兵劫其家人皆匿竄惟姑不能去盧冒刃立姑側爲賊捽捶幾死賊去

人問何爲不懼。答曰：「人所以異禽獸者。以其有仁義也。今鄰里急難。尚相赴。況姑可委棄耶。若百有一危。我不得獨生」。姑曰「歲寒知松柏。吾乃今見婦之心。」（唐書列女傳）

善事翁姑

徽州李氏女名善瑜。適葉元善長子。侍奉舅姑極孝。家貧已。雖饑寒。凡飲食不敢嘗。啖以奉舅姑。舅姑病甚。家貧不能召醫。自爲祈告天地。願以身代。上帝嘉其誠。舅姑壽一紀。仍賜錢八十萬。注名祿籍。二子賜品官。後一歲。一旦門未啓。忽見堂上金玉滿堂。變易果得錢八十萬。其鄰居秦氏女年二十。恃其長舌。抵觸舅姑。李氏嘗勸之而不聽。忽秦氏爲雷火焚燒。善惡之報。昭然可畏。

舍兒救姑

莒州民家有母老病臥于牀時値地震其子謂妻曰：「汝抱兒速出」妻曰「有姑在牀奚暇計及子耶」共扶母出置兒不顧及屋倒以爲兒必壓死急視之兒被一木架住獲免夫人當死生存亡之際而能割愛以全孝此在子之於母已難也而在媳之於姑則尤難賢哉此婦其平日之盡孝可知矣宜爲神佑以全其兒也

寡居養姑

漢東海于公爲獄吏決獄平恕縣有孝婦寡居養姑姑恐妨婦嫁自縊死姑女遂誣婦迫死其母婦不能辯于公爭之不得於是東海旱三年後太守來公言其故祭孝婦墓乃雨

紡績養姑

漢陳孝婦年十六而嫁未有子夫當行戍臨別囑婦曰：「我生死

未可知。今有老母。無他兄弟備養。吾不還。汝肯養吾母乎。」婦應諾。夫果不還。婦紡績以養姑。後其父母哀其少而無子。將嫁之。婦曰。「夫去時。囑代供養其母。既許諾之。而不能信。將何以自立。」欲自殺。父母懼而止。後姑八十餘而終。盡賣其田宅以葬之。沒身奉祀。淮陽太守以聞。使賜黃金四十斤。號稱孝婦。

傭織養姑

趙孝婦德安人。早寡。事姑孝。家貧。傭織於人。得美食。必持歸奉姑。自談麤糲不厭。嘗念姑老。一旦有不諱。無由得棺。乃以次子鬻富家。得錢百緡。買杉木治之。棺成。置於家。南鄰失火。時南風烈甚。火勢及孝婦家。孝婦亟扶姑出避。而棺重不可移。乃撫膺大哭曰。「吾爲姑賣兒得棺。無能爲我救之者。苦莫大焉。」言畢。風轉而北。

孝婦家得不焚。人以爲孝感所致。（元史列女傳）

織蓆養姑

明燕山衛卒儲福慷慨好義。靖難兵起。挈母妻遁去。文皇即位。詔調戍卒。福在錄中。仰天大哭曰:「吾雖一介賤卒。義不事二君」舟中日夜號泣。不食而死。妻范氏年二十。有姿容。奉姑甚謹。每哭夫則走入山谷中大號。不欲聞之姑也。一日臨澗浣衣。見其旁草生若姑蘇蓆草。因取之。織蓆養姑。姑死。竭力營葬。廬於墓旁。年八十餘卒。蓆草遂不生。土人義之。葺其廬。名曰:「節孝廬」

苦心感姑

姜詩事母至孝。妻龐氏奉姑尤謹。姑好飲江水。龐氏出汲。遇風還遲。姑因渴怒甚。詩遂責妻遣之。龐氏不忍去。寄居鄰舍。晝夜紡績日市珍羞使鄰母自以其意遺姑久之怪問鄰母以實告姑感而命還姑嗜魚膾又不能獨食夫妻力作以供呼鄰母共之其後舍側忽湧甘泉味如江水日躍雙鯉以供其膳赤眉賊經詩里疾馳而過曰：「驚大孝必觸鬼神吾輩何敢」朝廷聞其孝拜詩爲郎中。

乳姑不怠

唐崔山南曾祖母長孫夫人年高無齒祖母唐夫人事姑孝每日櫛洗升堂乳其姑姑不粒食數年而康一日疾篤長幼咸集宣言無以報媳婦願孫婦亦如媳婦孝敬矣世謂崔氏後日昌大有所本云。

天賜佳兒

王陽明先生將生時。祖母孟夫人。夢其姑。抱一緋衣玉帶童子授之曰：「婦事我孝。孫婦亦事汝孝。我與爾祖乞於上帝。以此孫畀汝世世榮華無替。」

鬼不敢近

蘇州城隍廟向有道士住持。乾隆間有袁守中者。杭州袁春圃之族裔也。工詩詞。善小楷。其徒皆敬畏之。有某徒私出遊。半夜始歸。不敢叩院戶。即坐堂上假寐。逾時。聞一鬼曰：「奉牒拘某婦。乃戀戀其病姑。念念固結。神不離舍。不能攝取。奈何」一鬼答曰：「精誠固結。以戀病姑。此孝婦也。與強魂捍拒者不同。不可牽拘。宜稟請上帝。議延其壽。愼勿孟浪」一語畢。似潛入內殿去。即寂然。其徒惶懼。急叩戶院而進。朱蕉圃曰：「世人未有不思延壽者。孰知孝之延壽有不求而自得者耶」

疫鬼畏避

常州民顧成媳錢氏清順治甲午大疫成得疾親丁八人俱伏枕待命時錢氏方歸在母家聞信欲趨視父母力阻之錢氏曰「人家娶婦原爲翁姑生死大事今翁姑病篤忍心不歸與禽獸何異吾往即死不敢望父母顧也」隻身就道成在牀聞鬼語曰「諸神皆衛孝婦來矣我等速避」錢氏歸果無恙而全家之病由是皆愈

孝免孽戾

支祁宜妻喻氏年二十五姑黃氏病目無所見性褊急喜潔難事喻勤順逢迎無閒言其夫因酒誤觸人仆墮兩齒求免刑責入財

自贖。以喻嫁貲償之。喻無悔。一夕夢里役追逮。責之曰：「汝前生爲比鄰牟容之妻。年三十。病殗殜（音奄葉 微病也）汝姑七十餘。羸糜供汝。汝以口苦厭食。嫌其太煩。哭而叱之者數四。及臨死。對姑呼天曰：「年七十者不死。我方三十而使之死。天乎天乎。胡不平」聞於上帝。令罰雷殛。而氣已絕。事未之行。案牘仍在。凡三十年爲一世。今當結案。來旦斃於雷火之下。以汝今生孝德。故先期告汝」喻驚寤。中夜號泣。姑曰：「汝以吾兒破汝嫁貲。謂終身不得償耶」喻曰「無之」淩晨沐浴新衣。拜其姑曰：「新婦三年事姑無狀。今請假暫歸。恐不測身死。姑好將息」姑訝其言不倫。歸別父母。所言如初。自炷香立於屋南大木下。仰天祝曰：「新婦宿業當死。有所不辭。但念夫貧姑老。誰爲供事。一也。父母自幼教訓。今被天誅。

爲家門辱二也身有孕已七月矣萬一得男支氏有後三也今二事皆不可避獨支氏無後耳乞少延三月分娩而死」時大暑中陰雲晝晦風雷交至適遇梓潼神祭知其情乃取里中悍逆者代之富人張寳妻馬氏事姑無禮制夫如奴隸卽命雷火焚之而喩氏獲免焉

插花成陰

宋紹興間漢陽軍有插榴枝于石罅秀茂成陰歲有花實初郡獄有誣服孝婦殺姑婦不能自明囑行刑者插髻上花于石罅曰「生則可驗吾寃」行刑者如其言後果生

奉姑遠戍

宋氏金華宋濂族女也夫衢州人（失其姓名）爲閬州守坐累死家人遣

戍金齒衛氏奉姑以行。至常德題詩郵壁。太祖聞而釋之。賜以閩守之祿。今雲南永昌城西有節孝碑。都御史王中題其陰。祠則御史陰汝兆所建也。詩曰：郵亭咫尺堪投宿。手挾親姑憩茅屋。抱薪度地暫鋪攤。支頤相向吞聲哭。傍人問我是何方。俛首哀哀訴衷曲。妾家祖居金華府。海道曾爲土千戶。奉艘運粟大都回。金碑勅賜雙飛虎。兄弟晦迹隱山林。甘學崇文不崇武。方金玉堂宋學士。亦與妾家同一譜。笄年嫁向衢州城。夫婿好學明詩經。離騷子史遍搜覽。意欲出仕蘇蒼生。前年郡邑忽交辟。辭親笑傲趨神京。萬言長策獻閶闔。泥金捷報來掀騰。承恩榮除閩州守。飄然畫舫西南行。到官搜賢訪遺老。要把奸頑除盡掃。日則升堂剖公務。夜則挑燈理文稿。守廉不使纖塵汙。執法應教僚佐怒。府推獲罪苦相扳。祭院來提誰與訴。臨行囊橐無錙銖。惟有舊日將去書。牽衣父老泣相送。遮留赤子爭號呼。彼時徵贓動盈萬。妾夫自料無從辦。竟晨拷打不成招。暗囑家人莫送飯。無何饑死囹圄中。旗軍原籍來抄封。當時只望耀門戶。豈期一旦翻成空。親鄰憐妾貧如洗。斂鈔殷勤餽行李。零丁三日到京師。奉旨邊方戍金齒。兄弟遠餞龍江邊。臨岐抱頭哭向天。姐南弟北兩相慟。別來再會知何年。開船未幾子病倒。求醫問卜皆難保。武昌城外野坡前。白骨誰憐葬青草。眼前有子相親傍。身安且不憂家蕩。如今子死親年高。縱到雲南有何望。八月官船渡常德。促裝登程戒行色。林空日暮鷓鴣啼。聲聲叫道行不得。上山險如登雲梯。百戶發放來取齊。雲暗雨滑把姑手。一步一仆身沾泥。晚來走向營中宿。情思昏昏倦無力。五更唬重起身遲飯鍋未熟旗頭逼翻思昔日閨門內遠行不出中堂邃融融日影上欄杆花落庭前鳥聲碎寶髻斜簪金鳳翹翠雲蟬髩蛾眉嬌繡床新刺雙蝴蝶坐久尙覺春風饒誰云今日夫亡後萬里遐荒要親走半途日午姑云飢欲丐奉姑羞舉口同來一婦天台人情懷薄若秋空雲喪夫未經數十日畫眉重嫁鹽商君血色紅裙繡羅衫騎驢遠涉長安道穩步不知行路難揚鞭指笑青山小古來節義重難陳抉目截鼻肝胆眞嗟哉風俗日頹敗綱常廢盡趨黃金妾心汪汪淡如水甯受飢寒不受恥幾回欲葬江魚腹姑存未敢先求死孝思須體夫懸戀當學慈烏終養膳姑亡妾亦隨姑亡地下何慚見夫面說到傷心淚如雨咽咽低頭不能語道旁聞者總淒酸隔嶺哀猿叫何許（衢州府志）

第四編　節婦類

守貞俟夫（一）

宋周謂以布衣謁藝祖遂見信用奔走嶺塞不得歸者二十六年其家素貧婦莫氏貞靜俟夫日惟事舅姑躬蠶織閨門肅然雖鄉里淑婦亦無從識其面及二子長成築外室延師寒暑肄業無間晚年產漸厚乃爲舅姑營美邸大作壽坎松櫝密茂皆手自植又爲夫營別墅水竹交映亭閣相望二十六年中二婚一嫁皆得望族其夫在官亦修高節及歸俱已皓首因勸夫致仕偕老林泉時號爲「莫節婦」眞女中丈夫也

守貞俟夫（二）

李德武妻裴淑英。安邑公矩之女。以孝聞鄉黨。德武在隋坐事徙嶺南。時嫁方踰歲。德武謂裴曰：「我方貶。無還理。君必儷它族。于此長訣矣。」答曰：「夫天也。可背乎。願死無它。」居不御薰澤。時矩屢欲嫁之。斷髮不食。矩知不能奪。聽之。德武更娶朱氏。遇赦還。中道聞其完節。乃遣後妻。爲夫婦如初。（唐書列女傳）

守貞俟夫（三）

賈直言妻董氏。直言坐事貶嶺南。以妻少。乃訣曰：「生死不可期。吾去可亟嫁。無須也。」董不答。引繩束髮。封以帛。使直言署曰：「非君手不解。」直言貶二十年乃還。署帛宛然。及湯沐。髮墮無餘。（唐書列女傳）

茹苦葬夫（一）

明潞州盧清妻吳氏。舅姑沒於臨洛。寄瘗旅次。清授徒自給。後充椽於汴。憤恥發狂死。吳聞訃痛絕。哭曰『吾舅姑委骨於外。良人死。忍令終不返乎』乃寄幼孤於姊兄。鬻次女爲資。獨抵臨洛。覓舅姑瘗處。不得。號泣中野。忽一丈夫至。則清所授徒也。爲指示收二骸以歸。復之汴負夫骨還。三喪畢舉。忍餓無他志。

茹苦葬夫（二）

楊三安妻李氏。舅姑亡。三安又死。子幼。孤窶。晝田夜紡。凡三年。葬舅姑及夫兄弟凡七喪。遠近嗟涕。太宗聞而異之。賜帛三百段。遣州縣存問。免其傜役。（唐書列女傳）

堅彊拒嫁

王琳妻韋氏者。士族也。琳爲眉州參軍。俗僭侈盛飾。韋不知有簪珥訓二子賢淑有法。後皆名聞。琳卒時。韋年二十五。家欲彊嫁之。韋固拒。至不聽音樂。處一室。或終日不食。卒年七十五。著女訓行於世。唐書列女傳

智巧全節

浙江青田山農陳好密爲仇家所害。誣以鑛盜。有公差四人。繫其婦詹氏。日暮行僻途。四卒各欲汚之。詹度不能免。其一人髯而勇。佯之曰「幸爲我主持。勿令共亂。當到君家。惟君所欲。」髯卒喜。它卒涉邪。輒止之。至黃壇山。遇樵者。因借樵刀削其屐。削已。呼四卒曰「吾擲屐林中。誰得就歡。」俟其爭取。卽自刎死。四卒驚走。時六月。旬日。蠅虫不傷。面色如生。事聞。縣令陳袞題其墓曰：「節婦」因斃四卒於獄。

引斧斷臂

五代時。王凝爲虢州司戶。卒于官。其妻李氏。攜子負骸以歸。中途投宿。主人不納。牽其臂而出。李氏大慟。即引斧斷其臂。開封府尹聞之。厚恤李氏。笞其主人焉。

引刀割鼻

夏侯文寧之女名令。嫁曹文叔。早寡無子。恐家人嫁己。斷髮截耳。所以自誓。後其父迎之以歸。勸其改嫁。令乃引刀割鼻。誓無他志

不辱于倭

明興化劉氏二女。與里中婦同爲倭所掠。繫路傍神祠中。倭飲酣。遍視繫女。先取其姊。姊厲聲曰：「我名家女也。肯汙賊乎」。倭笑慰之曰：「若從我。當詢父母歸汝」。女曰：「父母未可知。此時尚

能。歸耶。」倭尚作款曲狀。女大罵。時黃昏。倭方縱火。女即赴火死。已又侵其妹。妹又大罵倭。倭露刃脅之。不爲動。欲強犯之。女紿曰：「俟姊骨燼。乃可。否則不忍也。」倭喜。負薪益火。火熾。女又赴火死。同時死者四十七人。

節義凜然

宋謝枋得妻李氏。色美而慧。通女訓諸書。嫁枋得。事舅姑。待賓客。皆有禮。枋得起兵守安仁。兵敗。逃入閩中。武萬戶以枋得豪傑。恐其扇變。購捕之。根及其家人。李攜二子。匿貴溪山荊棘中。采草木而食。至元十四年冬。元兵踪迹至山中。令曰：「苟不獲李氏。屠爾墟。」李聞之曰：「豈可以我故。累人。吾事出塞矣。」遂就俘。明年。徙囚建康。或指李言曰：「明當沒入矣。」李聞之。撫二子凄然而泣。左右曰：「雖沒入將不失爲官人妻。何泣也。」李氏曰：「吾豈可嫁。二夫耶。」顧謂二子曰：「若幸生還。善事吾姑。吾不得終養矣。」是夕解裙帶自經獄中死。枋得母桂氏尤賢達。自枋得逋播。婦與孫幽遠方處之泰然。無一怨語。人問之曰：「義所當然也。」人稱爲賢母云。

漬血化石

宋王貞婦臨海人。德祐二年。冬。元兵入浙東。婦與舅姑夫皆被執。既而舅姑與夫皆死。主將見婦皙美。欲納之。婦號慟。欲自殺。爲奪挽。不。得。死。夜令俘囚婦人雜守之。乃婦陽謂主將曰：「若以吾爲妻妾者。欲令終身善事主君也。吾舅姑與夫死。而我不爲之衰。是不天也。不天之人。若焉將用之。願請爲服期。卽惟命。苟不聽我。我終死耳。不能爲君妻也。』主將恐其誠死。許之。然防守益嚴。明年春。師還。挈行至嵊青楓嶺下。臨絕壑。婦伺守者少懈。嚙指出血。書字山石上。南望慟哭。自投崖下而死。後其血皆漬入石間。盡化爲石。天陰雨。卽墳起如始書時。至治中。旌之曰：『貞婦』。郡守立祠石嶺上。易名曰：『清風嶺』云。

血漬成形

元譚氏婦趙氏。吉州永新人。至元十四年。江南既內附。永新復嬰城自守。大兵破城。趙氏抱嬰兒。隨其舅姑同匿邑校中。爲悍卒所獲。殺其舅姑。執趙欲汙之。不可。臨之以刃。曰：『從我則生。不從則死。』趙罵曰：『吾舅死於汝。吾姑又死於汝。吾與其義而生。寧從吾舅姑以死耳。』遂與嬰兒同遇害。血漬於殿廡兩楹間。入甎爲婦

人與嬰兒狀久而宛然如新或磨以沙石不滅又煅以熾炭其狀益顯

隕崖潔身

唐陳仲妻張氏與二嫂遇賊相謂曰：「婦人以潔身爲高豈可委身待辱哉」遂隕崖而死

柏舟矢志

春秋衛世子餘早死其妻共姜守義父母欲嫁之作詩表志曰：「汎彼柏舟在彼中河髧彼兩髦實維我儀至死靡他母也天只不諒人只」

含血噴賊

明史石氏女被賊執欲汚之女抱槐樹厲聲罵賊數人牽之不解

斯其兩手。罵如初。又斷其足。愈罵不絕。痛仆地。賊褫其衣。女以口齧其指。斷其三。含血噴賊。乃瞑。賊擁薪焚之。後所焚地。血痕耿耿。遇雨則燥。暘則溼。村人駭異。掘去之。色入土三尺許。

忍辱存孤

明末池州有舒生。無兄弟。舉一子而遭寇亂。謂其妻曰：「死節易。存孤難。汝肯爲其難者乎。」其婦嗚咽久之。慨然曰：「幸君父子重逢。我當一死以明志。」已而賊至。刼其妻去。舒生轉輾流離。及淸兵定川廣。舒間關至楚。乞食營中。冀與妻遇。不得見。遇官艦縛之。令挽。夜半號泣。驚將軍夫人。黎明。夫人隔簾訊其姓氏。大詫。命加銀鐺。俟將軍至。自鞫之。四日。將軍與夫人會。夫人乃舒生故妻也。將軍自賊中獲之。甚有寵。其孤尚在。至是乃泣告將軍。以孤兒還。舒生。將軍心疑其夫婦私相見矣。大怒。命擒舒生來。見其荷鐵索。觳觫不能行。頸流血殷然。乃詢隸卒曰：「彼拘攣幾時矣」曰：「四。日。」將軍大喜。釋其縛。入謂夫人曰：「子誠知禮。今汝意云何。」夫人指其子曰：「妾存此一塊肉。以還舒生耳。至於破鏡斷難復合。」將軍命舒生攜其子入小艇。贈以金帛。舒生遙拜其妻而去。行數十里。有飛騎傳將軍令。追舒生。回。復見將軍。語曰：「子行。後汝婦閨門自縊。乃悟向來忍死。爲存孤也。此眞節婦。渠今一。死。已踐初志。幸而解救得甦。仍歸君。完聚爲兩世姻緣可耳。」舒生拜謝。載其妻歸故鄉。撫子成立。池人至今以爲美談。

捨身哭弟

史記聶政爲嚴仲子殺韓相俠累。自抉眼出腸以死。韓取政尸暴之於市購之曰「有能言殺俠累者與以千金」政姊嫈聞之乃伏尸哭曰「是軹深井里聶政也妾奈何畏殺身之誅滅賢弟之名」乃三躍呼天遂死於政旁

堅苦卓絕

明史花雲駐太平陳友諒破城被殺方戰急雲妻郜祭家廟挈三歲兒泣語家人曰「城破吾夫必死吾義不獨存然不可使花氏無後若等善撫之」遂赴水死侍兒孫氏瘞畢抱兒行被掠至九江夜投漁家脫簪珥屬養之及陳兵敗孫復竊兒渡江遇潰軍奪舟棄江中浮斷木入葦洲採蓮實哺兒七日不死夜半有老父雷老挈之行踰年達太祖所孫抱兒拜泣太祖亦泣賜雷老衣忽不見賜兒名煒累官指揮後朝庭贈郜貞烈夫人孫安人立祠致祭

第五編　孝女類

打豹救父

元史建德王氏女。父出耘舍傍。遇豹。爲所噬。曳之升山。父大呼。女聞聲趨救。以父所棄鋤。擊豹腦。殺之。父得救。

打虎救母

明史。姚孝女。適吳氏。母出汲。虎銜之去。女追掣虎尾。虎欲前。女掣益力。尾遂脫。虎負痛躍出。負母還。藥之獲愈。

打虎救母

明史。蔡孝女。隨母入山採藥。虎攫其母。女折樹枝格鬬。虎舍其母。傷女。血歕丈許。竹葉爲赤。母女均獲全。

代父贖罪

齊太倉令淳于意有罪。當刑。僅生五女。乃歎曰：「生女不生男。緩急總無益也。」其少女緹縈。慨慷激烈。隨父至長安上書。願爲官婢以贖父罪。天子憐其孝。乃赦其父。幷除肉刑

伏闕臥釘

明山陰諸娥。父士吉犯辟論死。時娥方八齡耳。日夜痛哭。從其舅某往南京伏闕。臥釘板。鳴寃。帝憐其孝。赦其父。後以重傷殞命。崇祀曹廟。奕世旌揚。

願代父死

羅有恆爲秦州司李。居官頗廉。惟賦性拘執。憚於改過。時有大盗殺人刦財。羅責捕嚴拿。已經就獲。庭訊時。盜攀其有仇富家臧姓

臧呼號稱寃。羅不聽。比爲從律擬絞。上司報可。臧有女桂姐。刺臂血具詞。願代父死。羅不聽。後雖訪知其寃。緣讞案已定不肯自認失察之罪。遂置之。臧被決時。其女抱父屍一痛而絕。羅任滿改四川司李。畏遠不赴。告病歸里。因無子。囑媒娶妾。有韓媪云「近有臧姓新亡。遺女十七歲。無所歸。情愿爲宦家姬侍。羅用五十金買之。見其女容色可人。應對安雅。大喜。是晚成親。女閫戶家人聞房內羅求饒之聲。大駭。又聽女云」「我乃孝女。蒙上帝封爲貞靜夫人。豈肯與爾爲妾。汝向日無辜害吾父。今來取爾赴陰司質對。求饒何益。衆將門撞開。見羅已七竅流血死矣。女無踪跡。蓋桂姐之靈也。後訪韓媪。並無其人。亦係鬼云。

割頭救父

浙中薛尚仁娶陶氏。生女孝姑。弟尚義娶柳氏。兄弟同居。尚義早亡。柳氏守貞不嫁。尚仁將弟婦移至後院。一應出入。從尚仁住房經過。柳氏之兄柳文家貧。屢至妹處借貸。尚仁叱逐之。文懷恨在心。時值清明。有觀音庵僧人寂照。柳氏喚來商議。與亡夫念經。被尚仁撞見。驅出。柳氏遣婢至庵。約寂照晚間在牆外候。送經資。寂照疑爲有意。伊原係大盜。逃罪出家。飛垣踰壁。乃其長技。至起更時。挾利刀越牆而進。柳氏驚喊。寂照用手捫其口。欲强姦。柳氏以死拒。寂照用刀殺死。取其頭。踰牆而去。次早。尚仁驚知。來視。不明何人行兇。柳文心懷舊恨。赴縣具報云「尚仁强姦其妹。不從。殺死。藏頭滅跡」。縣令亦以柳氏住房在後。誰能飛進。嚴刑拷問。尚仁死不承認。備受敲扑。令紿之曰：『爾若將頭送出。便放汝矣』。其女孝姑聞知。告母曰：『父死則母必死。女亦必死。是父死而母女俱死也。何不將女頭割去。充嬸頭。倘得父囘。母活女死。無憾矣。』母曰：『爾父命該如此。爾有何罪。此事萬不可行。』女見母不忍下手。歸房自縊死。母不違其志。忍痛將頭割下。持以交官。令使仵作看驗。見面上無血。皮肉不捲。係割於已死之後。大怒曰：『爾夫殺一人。案尚未結。如何又殺一人。』喝令椶起陶氏。大哭實告其故。令不信。至其家驗之。見孝姑屍骸在地。以頭合之。不差纖毫。不覺心酸流淚曰：『天下有此孝女。焉有殺人之父。必係寃枉。』又見孝姑面色如生。兩眸炯炯不閉。乃祝曰：『爾爲父捨身。其心苦矣。何不大顯陰靈。以夢示我。庶得兇手。白爾之寃。』言未畢。雙睛忽合。令駭嘆。是夜卽夢孝姑來告。感公救父。幽冥啣結。欲白此寃可訊僧人寂照次日密問左右。對曰：「此觀音庵住持僧也。」乃請來署念經設法壇於幽僻處。夜半使少女假作鬼聲叩窗而哭。寂照驚問爲誰。答曰：「我柳氏也。爾因姦我不從。將我殺死。又將我頭藏匿。致我身首不得合。今特尋爾要頭。」寂照曰：「我一時誤殺。已日日念經超度。頭現在韋馱座下。俟經事畢。即取出還你。」令在外聽得親切。即陞堂將僧拏至。一訊即伏。以寂照罪大惡極。與尋常殺人不同。擬斬立決。柳氏孝姑。爲建孝烈祠。春秋祭享。

設計救父

宋詹氏女。紹興初年十七。淮寇破縣。女嘆曰：「父子無俱生理。我計決矣。」頃之賊至。欲殺其父兄。女趨而前拜曰：「妾雖窶陋。願執巾帚以事將軍。贖父兄命。不然。父子併命無益也。」賊釋父兄。

縛女麾手使亟去曰『毋顧我我得侍將軍何所憾哉』遂隨賊行數里過市東橋躍身入水死賊相顧駭嘆而去

入江覓父

漢上虞曹娥父盱爲巫祝五月五日迎神于江墮水死娥年十四覓父屍不得沿江號哭七晝夜跳入江中五日負父屍而起上虞令度尚以其事聞表爲孝女立祠江邊至今享祀不絕

投水覓父

後漢列女傳叔先雄父乘船墮湍水死尸喪不歸雄晝夜號泣有自沉之計所生男女二人並數歲雄各作囊盛珠環以繫兒經百許日乘家人防閉稍懈投水死弟賢其夕夢雄告後六日當共父同出至期果與父相持浮于江郡縣表言爲雄立碑圖其形

哭水覓父

唐饒娥廣東樂平人父勣漁于江遇風舟覆屍不出娥年十四哭水上不食三日死俄大雷震父屍浮出鄉人具禮葬父及娥柳宗元爲立碑魏仲元碣其墓鄭叔則表旌其閭（唐列女傳）

割股醫父

宋史呂仲洙女名良子父得疾瀕殆母焚香禱天請以身代割股爲粥以進時夜中羣鵲繞屋飛噪仰視空中大星煜煜如月者三越日父瘳眞德秀表其居曰「懿孝」

割肉醫母

黑龍江省立女子師範學生郭鳳琴事母孝母臥病數年醫治不愈生奉侍殷勤隱憂情切聞人言割股可以療疾因左臂割肉一

塊。作湯一碗。被母聞知。慘不忍食。越日不令母知。復割左股肉作食奉母。母食後。果大嘔吐。而病立愈。嗟乎。愚孝割肉。本不足爲訓。然誠孝格神。每能愈疾。亦可敬也矣。

爲母吮瘡

明史。徐遠女。六歲。母患膿瘡。女問母何以得愈。母謾曰。「兒吮之迺愈。」女請吮。母難之。女悲泣不已。母不得已。聽吮。數日果愈。

至孝感神

南齊史。載諸暨屠氏女。父失明。母痼疾。鄉里不容。女移父母遠住。晝樵採。夜紡績。以供養。父母卒。親營葬。負土成墳。忽聞空中有聲云。「汝至性可重。山神當効驅使。汝可爲人治病。必得大富。」女謂是妖魅。勿敢從。遂得病。積時。隣人有中溪蜮毒者。女試治之。病便痊。遂爲人治疾。無不愈。家產日益。鄉里多欲娶之。誓守墳墓不嫁。

瞽目復明

南齊史載。永興王氏女年五歲。兩目皆瞽。性至孝。年二十。父母死。臨屍一叫。眼皆血出。小妹娥舐其血。左目卽開。時人稱其孝感。

扮男復仇

唐史載。段居貞與妻謝小娥之父。同賈江湖上。並爲盜所殺。小娥投江。殉之。傷腦折足。人救以免。轉側丐食至上元。夢父及夫告所殺主名。離析其文爲十二言。持問莫能曉。李公佐得其意。曰「殺若父者必申蘭。若夫必申春。試求之」小娥泣謝。詭服爲男子。與傭保雜物色。歲餘得蘭于江州。春于獨樹浦。小娥託傭蘭家。見所姦段謝服用故在益知夢不疑後集羣偷釃酒蘭與春醉臥小娥閉戶斬蘭首因大呼捕賊鄉人擒春得贓千萬其黨數十小娥悉疏其人上之官皆抵死乃始自言狀刺史張錫嘉其烈娥祝髮事浮屠垢衣糲飯終其身

爲父報仇

齊王舜趙郡人父子春與從兄長忻不協齊亡之際長忻與其妻同謀殺子春舜時年七歲妹粲五歲璠二歲並孤苦寄食親戚舜撫育二妹恩義甚篤而舜陰有復讎之心長忻不爲備妹俱長親戚欲强嫁之慨拒不從乃密謂二妹曰：「我無兄弟至使父讎不復吾輩雖女子何用生爲我欲共汝報復汝意何如」皆垂泣曰：「惟姊所命」一夜中姊妹各持刀踰牆入手殺長忻夫婦以告墓

因詣縣請皋。姊妹爭爲謀首。州縣不能決。文帝聞而嘉歎。特原其罪。

雷爲報仇

明史招遠縣有孝女。其父採石南山。爲蟒所吞。女哭之。願見父屍同死。俄大雷擊蟒墮女前。腹裂見父屍。女負土掩埋。觸石而死。

茹苦葬親

楊含妻蕭氏。父歷爲撫州長史。以官卒。母亦亡。蕭年十六。與婢皆韶。淑毀貌。載二喪還鄉里。貧不能給舟。次宣州戰鳥山。舟子委柩去。蕭結廬水濱。與婢穿壙。納棺。成墳。蒔松柏。朝夕臨。有馴鳥。縞兔。蘭。芝。之。祥。長老等爲立舍。歲時進粟縑。喪滿不釋縗。人高其行。或請婚。女曰：「我弱不能北還。君誠爲我致二柩葬故里。請事君子。

」於是含以高安尉罷歸。聘之。且請如約。蕭以親未葬。許其載。辭其采已葬乃釋服而歸。楊（唐書列女傳）

死擁祖母

宋朱娥上虞朱回女也。母亡。養于祖母。時十歲。里中朱顏與其祖母競。持刀殺其祖母。一家驚潰。娥獨號呼而前。擁蔽祖母。以手挽刀。其祖母脫身。而娥竟死。事聞于上。賜其家粟帛。會稽令董偕爲娥立像于曹廟。四時配享。

巧言格母

鄒瑛年方十二。見母虐嫂。愛己。每食以殘穢者與嫂。嘉美者與己。瑛每私分甘與嫂。一日母見嫂食美。欲撻嫂。嫂告以小姑私與之。母怒詈女。女跪泣曰：「女後日適人。倘遇姑如母者。母心安否」

母悟。遂轉慈焉。里人稱「孝。智。兼。全。」云。

續完漢書 才女

漢班固之妹班昭。適曹世叔。早寡。家學淵源。造詣深邃。固著漢書未就而卒。和帝詔昭踵成之。數召入宮。令皇后宮妃事以師禮。號爲「曹。大。家。」

作迴文詩 才女

竇滔妻蘇氏。始平人。名蕙。字若蘭。性聰慧。善屬文。滔苻堅時爲秦州刺史。被徙流沙。蘇思之。織錦爲迴文旋圖詩以贈滔。（滔爲安南將軍鎭襄陽攜寵姬趙陽臺以行。蘇氏悔恨。因織錦爲迴文。五采相繽。廣八寸。題詩二百餘首。縱橫反覆。皆成文章。才情之妙。超今邁古。名曰璣圖。）宛轉循環以讀。詞。甚。悽惋凡八百四十字。（晉書列女傳）

繼父傳經 才女

韋逞母宋氏。家世以儒學稱。幼喪母。其父躬養之。及長。授以周官音義。謂曰：「吾家世學周官。吾無男。汝可受之。勿絕世。」天下喪亂。石季龍徙之山東。宋氏與夫在徙中。推鹿車。負父所授書。到冀州。依膠東富人程安壽。安壽養護之。逞時年少。宋氏晝則樵採。夜則教逞。然紡績無廢。壽每歎曰：「學家多士大夫。得無是乎。」逞遂學成名立。仕苻堅爲太常。堅幸太學。博士盧壼曰：「周禮未有其師。韋逞母。女傳父業。今年八十。視聽無闕。可以傳授後生。」於是。就宋氏家立講堂。置生員百二十人。隔絳紗幔而受業。號宋氏爲文宣君。賜侍婢十人。周官學復行於世。時稱韋氏宋母焉。晉書列女傳

代父禮賓 能女

周顗母李氏。字絡秀。汝南人。少時在室。顗父浚爲安東將軍。嘗出

獵。遇雨。過止絡秀之家。會其父兄不在。絡秀聞浚至。與一婢宰猪羊。具數十人之饌。甚精辦而不聞人聲。浚怪使覘之。獨見一女子甚美。浚因求爲妾。其父兄不許。絡秀曰：「門戶殄瘁。何惜一女。若連姻貴族。將來庶大有益矣。」父兄許之。遂生顗及嵩謨。顗等既長。絡秀謂之曰：「我屈節爲汝家作妾。門戶計耳。汝不與我家親親者。吾亦何惜餘年。」顗等從命。李氏遂得爲方雅之族。（晉書列女傳）

引兵助父（勇女）

唐高祖之女平陽公主。嫁柴紹。高祖兵興。公主居長安。紹曰：「尊公將兵以淸京邑。欲我往。恐不能偕。奈何。」主曰：「公第行。我自爲計。毋以妾爲慮。」紹乃詭道走并州。主奔鄠。發家貲招南山亡命數百人以應帝。復遣家奴諭降名賊何潘仁。因略地至盩厔武功紀律嚴明遠近咸附勒兵七萬威震關中帝渡河紹以數百騎從南山來主引精兵與秦王世民會於渭北紹及主對置幕府京師人稱爲「娘子軍」

第六編　惡婦類

虐待前子(一)

宋張開妻孔氏疾卒遺五子再娶李氏悍惡虐逼五子五子哭於母塚恍惚間其母來撫之慟甚因咬指題詩於子衿云「新人間故人暗淚幾盈巾同衾今已隔對面永無因有恨牽遺子無情感舊君欲知腸斷處明月照孤墳」子以詩呈父父駭之以告連帥進聞於朝李氏發配嶺南

虐待前子（二）

東海徐甲妻許氏蚤亡。遺一子名鉄臼。再娶陳氏。虐甚。欲殺前子。陳產一男。名曰鐵杵。蓋取其能擣臼也。於是捶撻鉄臼。備諸苦毒。甲性闇弱。又時不在舍。臼竟以凍餓被杖死。時年十六。亡後旬餘。鬼忽還家。登陳氏牀曰：「我鐵臼也。實無罪。橫見殘害。我母訴怨於天。得天曹符。來雪我冤。當令鐵杵疾病。與我遭苦同。自有期日。我今停此待之。」聲楚楚如生時。家人不見其形。皆聞其語。恆在屋梁上。陳氏稽顙設奠。鬼曰：「不須如此。餓我至死。豈一殯所能酬。」陳氏夜間竊語。鬼應聲云：「何故說我。今當斷汝屋棟。」便聞鋸聲。屑亦隨落。舉家驚走。秉燭照之。亦無異。又罵鐵杵曰：「殺我。安坐宅中為快耶。當燒汝屋。」即見火燃。烟漫內外。狼藉。俄而自滅。茅莢儼然不見虧損。日日罵詈。時復謳歌。歌曰：「桃李花嚴。霜落奈何。桃李子嚴霜落早已」一聲甚悽愴。自悼不得成長也。於是鐵杵六歲。鬼至。屢撻之。撻處皆青黑。喉結不能食。月餘而死。鬼便寂然。

虐待前子（三）

春秋晉獻公之後妻驪姬。設計。陷其前子申生。使申生祭其母齊姜。申生薦胙于公。姬置毒胙中。獻公欲饗之。姬止之曰「宜試而後食」一祭地。地裂。與犬。犬死。與小臣。小臣死。姬泣曰「太子忍其父而欲弑。況他人乎。妾願母子避之他國。毋使爲彼魚肉也」申生聞之自殺。後驪姬之子奚齊悼子均被殺而不克善終。

虐待庶子

訪縣一商。無子。娶妾。歲餘生男。喜甚。名曰繼祖。復商于外。囑妻善視之。妻佯諾。夫既出。卽令妾置兒于地。每擲飯于地。教兒以口就食。更名狗兒。呼之輒應。妾或抱兒。妻怒。必擲地乃已。三歲猶爬沙地上。啖食如犬。夫歸。妻僞顰蹙曰：「家門不幸。生子類狗。」商驗之。果然。遂怒蹴兒死。妾畏妻。不敢言。痛其子。亦縊。未幾。妻忽風顚。伏地。飲食如其子。夫泣曰：「吾子如此。吾妻又如此。天之罰吾何慘也。」鄰人爲言其故。始知果報。言訖。婦乃絕。

覆水難收

漢朱買臣。家貧。負薪讀書。其妻求去。臣曰：「吾至五十。必富貴。」妻怒曰：「從君終餓死。」臣不能留。竟去。後臣爲會稽太守。妻復求合。臣曰：「能收覆水。方許復合。」妻遂自縊死。

索書求去

楊志堅家貧。其妻求去。堅以詩送之云。『金釵任意撩新髮。鸞鏡從他別畫眉。此去便同行路客。相逢即是下山時。』其妻持詩詣州刺史顏魯公。求別適。公判妻笞二十。任自改嫁。志堅秀才餉粟帛。仍署隨軍。聞者無不悅服。

棄夫再醮

南宋人厲氏。餘杭大族女。嫁四明曹秀才。與夫不相得。仳離而歸。再適曹詠。詠時爲武弁。不數年。攀緣秦檜姻黨易文階。驟擢至徽猷閣。出守鄞。元夕張燈州治。合樂宴飲。曹秀才來觀。見厲氏服用精麗。左右拱侍。備極尊嚴。謂其母曰:『渠合在此居享富貴。吾家豈能留。』嘆息久之。詠日益顯。爲戶部侍郎。秦檜死。詠貶新州死。

厲氏領二子取喪歸。二子不肖。家漸貧。至求乞不能給朝暮。有姻親趙德憐其孤。老養於四明里第。厲氏間出過故夫曹秀才家門庭不改。花竹蓊茂。顧侍婢曰：「我當日能自安於此豈有今日」因泣下悔恨。婦人惟思落寞之狀可輕。不識彝叙之倫爲重。雖使貧苦致嘆。未足抵償重辜。嗟乎。此婦往矣。如此婦者。世豈無其人耶。願各自省。

殺夫奇案

姑蘇蔡元保娶妻秦氏年方十八。蔡出外爲商。留妻在家。託岳父秦自玉照管。經營三年。積有二百金。收拾回鄉。有盜姚阿三知其囊有重貲。僞爲蘇人。與蔡同路。蔡每日買酒與之共飲情意甚密。盜原擬至僻處傷命奪財。至此忽轉念曰：「渠忠厚如此。殺之不祥。『聞其家中。祗有一幼妻。不若送渠至家。取之亦易也。同行至蘇州。離家約二十里。蔡欲順便省視岳父母。取銀一星。付阿三曰。『君可作今晚酒貲。明日到舍相會。』遂別去。秦老夫婦。見婿回。大喜。治酒相待。飲至晚。蔡已半醉。將雨傘留下。借燈籠照路。背行李回家。盜與蔡別後。將所贈之銀。買酒獨酌。又轉念曰：『此人辛苦掙來之物。若盡取之。吾不忍也。渠少年夫婦。今夜勢必熟睡。取其半而留其半。則情理兩盡矣。』算計已定。訪知蔡住僻巷。天晚無人。踰垣而入。聽臥房中有婦人與男子說話之聲。盜心疑。穴隙窺之。見一少婦與一落腮鬍子。坐床沿上談心。盜曰：『蔡君遠出。此婦懷挾外心。與人私通。若非怕連累蔡君。當手刃之。』乃潛伏樑上。頃之聞叩門聲。則蔡回矣。婦不慌不忙。將姦夫藏床下。方去開門。敘畢寒暄。安罷行李。與蔡痛飲。灌得大醉。將姦夫放出。曰：「爾屠刀帶來乎。何不下手。」姦夫逡巡不敢。婦曰：「爾何無丈夫氣。」一奪刀過手。從蔡心口戳入。血湧如泉。須臾命絕。二人又支解其身。裝入罈中。埋於四處。盜一一從樑上看見。因二人挖地埋屍。不能即睡。難以下手。祇偷其案上酒壺而逸。至街遇巡役。獲住搜其懷中有酒器。知是掏摸之賊。送官收監。次早秦老來看婿。將雨傘送還女。云「並未歸家。」秦曰：「婿貿易得銀二百兩。在我家用過飯。即回矣。雨傘現在。何云未歸。」女曰：「我夫攜有重貲。既不歸家。必父圖財害命。」遂赴縣控告。尹拘秦到案。細審。秦理直氣壯。供語分明。尹問爾有幾女。曰：「祇此一女。」問年若干。曰：「二十有一。」問婿出外幾時。曰：「三年。」又問女家尚有何人。曰：

「女係隻身家無次丁。」尹曰：「少女獨處。何不帶囘同住。」曰：「屢次相帶女不肯來。」尹心中了然。喝令將婦梏起。曰：「爾不囘母家甘心獨處。必戀姦夫。蔡元保須著爾交出。」婦呼天叫冤。反覆狡辨。尹只得將秦老收禁。婦討保再審。秦老至監中。盜一見笑曰：「翁非蔡元保丈人乎。元保踪跡。惟我能知之。若令我到堂登時便有著落。」秦老如言禀官。尹提盜問之。盜將如何與蔡同行。感情不忍下手。如何見婦手刃元保。如何支解其身。埋於某處。且曰：「姦夫長大多鬚。帶有屠刀。必屠戶也。」秦老曰：「離女家不遠。有康屠者。正是此形。」尹遣差捉獲。起出殘尸。二人皆伏罪。俱極刑。其蔡元保銀二百兩。並無親人承領。遂以賞盜。爲其先存好心。既能出首。以雪冤案。洵盜中之有道者也。

迫夫反叛

晉王李克用多養軍中壯士爲子。寵遇如眞子。及存勗立。諸假子皆年長握兵。心怏怏不服。存顥陰說克甯曰：「兄終弟及。自古有之。以叔拜姪。於理安乎。」克甯曰：「吾家世以慈孝聞天下。先王之業。苟有所歸。吾復何求。汝勿妄言。我且斬汝。」克甯妻孟氏素剛悍。諸假子各遣其妻入說之。使迫克甯。克甯心動。存顥等謀奉克甯爲節度使。舉河東附梁。執晉王及太夫人曹氏送大梁。帳下親信史敬鎔知之。以告太夫人。太夫人大懼。召張承業指晉王謂之曰：「先王把此兒臂授公等。如聞外間謀欲負之。但置吾母子有地。勿送大梁。」承業惶恐曰：「老奴以死報先王之命。此何言也。」晉王以克甯之謀告承業。乃召李存璋等陰爲之備。置酒府舍。伏甲執克甯存顥於坐。晉王流涕數之曰：「兒向以軍府讓叔父不取。今事已定。奈何復爲此謀。忍以吾母子遺仇讐乎。」遂殺之。（五代紀事）

勸夫分居（一）

劉君良瀛州饒陽人。四世同居。族兄弟猶同產也。門內斗粟尺帛無所私。隋大業末。荒饉。妻勸其異居。因易置庭樹鳥雛。忽鬬且鳴。家人怪之。妻曰：「天下亂。禽鳥不相容。況人邪。」君良卽與兄弟別處。月餘。密知其計。因斥去妻曰：「爾破吾家。」召兄弟流涕以告。更復同居。天下亂。鄉人共依之。衆築堡。號義成。武德中。深州別駕楊宏業至其居。凡六院共一庖。子弟皆有禮節。歎挹而去。貞觀六年。表異門閭。（唐詩孝友傳）

勸夫分居（二）

李充字大遜。陳留人。家貧。兄弟六人。同食遞衣。妻竊謂充曰：「今貧居如此。難以久安。妾有私財。願私分異。」充僞酬之曰：「如欲別居。當醞酒具會。請呼隣里內外。共議其事。」婦從充置酒讌客。充於坐中前跪白母曰：「此婦甚無狀。而敎充離間母兄。罪合遣斥。」便呵叱其婦。遂令出門。婦銜涕而去。

諷夫分異

古有馮氏兄弟三人。甚友愛。其父每戒之曰：「吾家三世同居。汝兄弟無效世俗惡習。自生嫌隙。」後季娶婦。未逾年。輒諷其夫分異。季怒曰：「汝欲敗吾素業耶。」婦乃不復言。一日向夫悲泣求去。詰之不答。固問之。始收淚告曰：「妾父母以君家兄弟篤於友義。故以妾歸君。今仲常欲私我。我不敢從。每恚怒。欲令君逐妾向勸君別居。其實慮此。使妾不幸爲仲所汚。縱君含恥能忍。妾亦何面目以見親戚乎。』因泣不止。季大怒。遂逼兄析居。而孝友衰焉。後伯仲俱登第。季獨落魄終身。其婦死時。吐舌五寸許。

唆夫負義

吳自脩作壽張令。審一大盜。見其豐偉健爽。品貌非常。心竊異之。但盜所犯甚重。欲生之而無路。乃於夜半。呼盜至內衙。謂之曰『吾欲生汝。而律無可生。明日解司。吾囑差半路釋汝。可相偕而遁也。』次日取銀三百兩。暗囑解差中道共逸。事發。吳以簽差不愼去官。囊橐如洗。家人莫不尤之。吳曰：『施恩而望報。不如勿施。貧窮命也。何尤之有。』越數年。盜於邊庭立功。躋顯位。思報前德。以書招吳。吳心不欲往。家人強之。乃行。至任所。盜事之如父。時刻不離。數日不歸後堂。妻怪而問之。盜語其故。妻曰：「君誤矣。妾聞大德。不報。彼有挾而求。雖盡囊與之。不足。若不遂其意。彼播揚前事。君何面。爲官。不若致之死。歸其棺而後贈之。庶君事不露。而彼亦受報矣。」盜恍然曰：「卿言是也。遲數日當行之。」夫婦私計。不知已爲廚役樊姓竊聽。適進午膳。樊以肴饌不精。被責二十板。樊懷恨。盡將私計告吳。吳大驚。棄行李與樊宵遁。次早盜知之。已遠不可追矣。乃大悔。遣人賚千金送其家。吳却之不受。値覃恩。吳原官起用。歷任尙書。盜領兵征西域。失機論斬。亦負德之報。

唆夫害忠

秦檜妻王氏。與金兀朮私通。日夜嗾檜殺岳侯。獄成而未決。檜於東窗下。以手晝柑皮。如有所思。王氏曰：「擒虎易。放虎難。」檜卽書片紙付獄。俄報岳侯卒。次日岳雲張憲皆棄市。金人酌酒相賀。檜自此形神憒憒。一日。挈家遊西湖。忽見巨人厲聲曰：「汝賊害忠良。罪應萬段。」歸家即疽發。猶起大獄。謀盡陷張忠獻胡文定諸族。棘寺奏牘上矣。檜力疾。坐格天閣視事。吏以牘進。欲落筆。手顫竟不能字。數日疽潰死。其嗣子熹亦死。有押衙何立者。往東南勾幹。恍惚至陰司。見熹荷鐵枷。因問太師何在。熹泣曰：「在酆都」立如言往。果見檜與万俟卨（音木其錫）俱荷鐵枷。備受楚毒。語立曰：「可傳語夫人。東窗事發矣。」未幾王氏亦爲鬼擒去檜嗣竟絕。

背夫通姦

明洪武時。京師一校尉。與鄰婦通。一日清晨。校瞷其夫出。入門登牀。夫遽返校伏牀下。婦問夫。何事復回。夫曰：「天寒。思爾熟寢。恐傷冷來加衾耳。』乃為擁絮而去。校忽念彼愛妻如此，猶忍背之。負心之婦，何可與交。即抽佩刀殺之。時有賣菜翁，常供蔬婦家，至是入喚無人，即出，為夫所訟，執翁抵於官，獄成，將棄市。校出呼曰：『婦由我殺，奈何累人。』監刑吏引見，上備奏其事，願就死。上曰：『殺一不義，生一無辜，可嘉也。』即釋之。

罵姑被震

清順治庚子，常熟有張姓婦，素悍，謾罵其姑。一日婦方切菜，見姑在前，即指罵曰：『恨不得以此刀斷爾頭。』俄頃雷電大作，雷神提逆婦髮，擲跪庭中，霹靂一聲，其婦眉髮衣服，焚燒殆盡，止留微氣。姑跪地哀叩曰：『吾家赤貧，止有一媳，倘死即絕吾嗣。其婦逾時而甦，自此改過，永不敢忤逆其姑矣。

拒姑被震

龍游徐氏兄弟二人。相距十餘里。五日一輪養母。兄貧甚。弟稍豐。兄供母饘粥不給。輪供尚缺二日。語母曰。「養乏。且往弟家。遲當補缺。」母往弟家。弟不納。曰：「兄供未滿。」母語以兄意。堅拒如初。母聞飯熟。乞少許充飢。弟密令妻取飯甑。置牀。覆以被。母乃垂淚還。未里許。雷電交作。有神自籬外入。提飯甑擊之。遂震死其妻於門。夫死於室。

逆婦巧報

蘇浙戰禍。人民死于非命者甚衆。雖曰刼運所遭。無可挽救。然其中亦有一二因果之說。傳衆口者。如瀏河李家村葉寡婦。夫早亡。有二子。其村時有兵擾。婦囑二子他避。已獨居守。無何潰兵大至。

四處焚掠。至婦家。搜括無所獲。大怒將婦百般毒打。逼詢藏銀。婦始終忍痛不言。潰兵失望愈憤。即將其倒懸屋梁。迨潰兵去後。適有隣人。返家探視。見葉婦狀。即設法救下。已奄奄一息。未幾即死。而其鄉鄰。並不爲婦悼惜。且頗有指謫。據稱。葉婦素性悍潑。待姑甚虐。姑不能堪。懸梁而死。今該婦之死。與其姑縊死相似。此亦因果之一也。天道好還。豈虛語哉。

悍妒殺妾

宋李守妻悍妒。擊殺一孕妾。一日方晝。見妾獨倚窗樹。欲進復止。恍見化蛇。遶樹。守妻欲殺之。則已失去。後夫婦對飲月下。覺杯中有物如蛇狀。燭之不見。明日腹痛。遂死。將殮。有巨蛇從口中出。

悍妒虐妾

杭郡汪生娶妻顧氏。中年無子。親友相勸取妾。妻初欣然取之。未半載。悍妒不容。立刻遣去。復又取妾。三年之間。更易五女子矣。康熙十二年秋初。汪生患病。死去半日。至晚甦。謂妻曰：「我到陰司。見冥判云。我尚有十五年陽壽。因貪色害五處女。不但無子。應減陽壽一紀。尚有三年可延。以汝妒心甚重。致我絕嗣。冬盡難免」是冬。妻果歿。不三年。汪生亦斃。見西陵吳循警心錄

妒殺絕嗣

晉賈充婦郭氏。初生子。令乳母撫養。子見充嬉笑。充就撫之。郭氏謂充私乳母。鞭殺之。子思乳母。痛哭而死。後又生男。復為乳母抱。充以手摩其頭。郭疑乳母。又殺之。兒亦思慕而死。充遂絕嗣。

妒妾逼縊

廣州蒙化縣縣丞胡亮從都督周仁討蠻得一美妾亮寵愛之妻賀氏亦曲如恩撫略無妒忌亮以爲眞睦不加隄防及亮外出賀用火釘釘妾之兩目迫令自縊亮歸紿以病亡後賀懷孕備極艱苦產一蛇兩目無睛亮見大驚殺之後賀忽患目枯而死

虐待家人（一）

巴東赫連傑妻性慘刻凡僕婦有孕必墮之既生而勒令溺死蓋惡其乳抱至妨役作也一日見小兒十數或形骸俱備或肢體未完全死之時遍身已潰爛矣

虐待家人（二）

關中市北店有王會師者母亡後家產一牝犬會師妻憎其盜食以杖擊之犬忽作人語曰『我是汝姑新婦杖我大錯我爲苛虐

家人過甚故得此報今既被杖羞在汝家遂奔出』曾師聞而泣抱以歸復去凡經四五會師悟其意乃於店牆後作一小舍安置每日送食市人及行客觀者甚衆犬恆不離舍遇齋時輙不食越一二歲莫知所之

虐待家人 (三)

李明府道經火井縣館於押司錄事家主人將設饌是夜明府夢一素衣婦人率二子拜乞命詞甚哀李驚寤不測其由復寢又夢前婦來泣訴曰：『命在須臾忍不救耶』李終不喩但怛悼而已有頃夢前婦復來曰：『長官終不能相救某已死訖然寃債亦償畢矣某前身卽押司妻也有女奴方姙二子某妒恨因笞殺之紿夫云盜金釵并盒子拷訴致斃故獲此報釵盒尙在堂西拱枓內

爲某告於主人。請無食某肉。是長官之惠也」李驚起。召主人詰曰：「君昨暮宰牲耶。」曰：「刲一白羊耳。」問有雙羔否。曰：「然。」遂告以夢。相與歎異。及尋拱枓內。果得二物。乃取羊埋之。且爲追薦焉。

虐待家人（四）

縉紳邱姓者。生八女。俱狠戾兇暴。稱爲邱氏八虎。而第五虎尤爲悍妬。年未三十。四嫁其夫。有婢春英爲夫理髮。虎截其雙指。又有婢名金蓮。能歌唱。夫甚愛之。虎斷其舌。每性起拷打。俱用非刑。或以鐵鉗摘其肉。或燒紅鐵箸刺其乳。或裝貓於婢女褲中。以鞭打貓。貓不得出。在內抓咬婢私處。及兩腿俱爛。致死多人。夏夜虎方就浴。聞窗外鬼聲甚厲。虎大怒。不候浴完。赤身持鞭坐中堂。喝曰：

「索命者俱來。吾不畏也。」鬼聲寂然。虎生一子一女。甚鍾愛。同時患痘。垂危。延高僧懺悔。僧曰。「人有貴賤。性命則同。夫人逞一時之怒。鞭殺侍女僕婦。陰魂含怨。報及兒女。試思彼雖賤類。亦人之兒女也。若我之兒女。供人打。罵。我能忍乎。受打。求饒。哀聲動地。我能忍乎。打死。拋骸。青燐夜照。我能忍乎。我不能忍。便知他人父母亦復如是。是以苛虐之事。仁者不為也。夫人但反躬自責。自然冤孽全消。誦經禮佛。奚益耶。」虎不能從。子女俱夭。虎後染瘡毒。遍體鱗集。十指與舌俱爛落。渾身肉塊腐潰。見骨而死。

虐待家人（五）

衛氏嫁張郡幕。苛刻其下。奴婢因笞死者甚多。中歲病瘵。獨閉室臥。自云不欲見人。人至輒忿怒。久之。聞室中有瑟瑟聲。窺之已化

爲蛇衣服髮爪散委牀下家人怪之殺而焚焉凡爲婦人之很毒者亦知有此毒報乎

穢語謾罵

鄂州南門外民婦數穢語仰天而罵早開門持一瓦盆就河邊洗忽大雨如注婦呶呶如前怪風捲婦入河其夫急救起瓦盆中破載於婦首如枷欲脫則痛入骨髓竟以不堪其苦復投河死

怒罵好鬬

陳英妻趙氏性甚悍好鬬詈往來其門者但聞呼號怒罵聲一日獨坐有道者登門氏問何爲曰「賣靈丹」氏曰「丹治何疾」曰「服之可以長生」氏大喜卽買吞之頓成瘖啞一語不能發

怒罵怨貧

崇德張氏家貧食麥。其婦以麥不可口。旦夕怨罵。鄰嫗勸之曰：「凡爲婦者。或貧或富。一隨其夫。至於食。取充腹而已。何怨爲。」其婦不聽。怨忿不絕。一日取麥晨炊。麥悉化蝶飛去。婦卽患心痛。數日而死。

匿錢不還

淸康熙戊申地震。山左最盛。沂州有賈客以布百疋。錢十千。寄於逆旅范氏。及地震後索之。范婦唯唯。但與之布。匿其錢。客再索。婦指天誓曰：「如匿你錢。卽刻壓死。」言未竟而屋已傾。果如所誓。錢猶在其牀下焉。

貪小竊釧

蘇州盤門章惟一妻嚴氏有妹。嫁于木瀆徐姓。章妻往探其妹。竊其金釧以歸。妹知姊所爲。乃遣嫗婉言索之。章婦怒。乃同嫗至廟。咒詛以自白。歸三日。忽舌長出一寸。口不能語。惟呼還還而已。一月死。夫乃開篋視之。則金釧宛在。其夫恐增其業。密還其妹。妹不忍。變易作佛事。

國家圖書館出版品預行編目資料

婦女故事／（清）陳鏡伊編
-- 初版 .-- 臺北市：
世界，2015.08
面；公分． --（道德叢書；2）

ISBN 978-957-06-0528-0（平裝）
1. 道德 2. 女性 3. 通俗作品
199.08 104014580

世界書號：A610-2160

道德叢書之二

婦女故事

作　者／（清）陳鏡伊編
發行人／閻　初
發行者／世界書局股份有限公司
登記證／行政院新聞局局版臺業字第〇九三一號
地　址／臺北市重慶南路一段九十九號
電　話／（〇二）二三一一一三八三四
傳　真／（〇二）二三三一一七九六三
網　址／www.worldbook.com.tw
劃撥帳號／〇〇〇五八四三七　世界書局
出版日期／二〇一五年八月初版一刷
定　價／台幣一六〇元
道德叢書全套十四冊，定價二二四〇〇元